MANGE ET TAIS-TOI !

DU MÊME AUTEUR

A compter de 2003, les San-Antonio seront numérotés par ordre chronologique d'écriture de Frédéric Dard, qui est aussi l'ordre originel des parutions.
Cette décision entraîne un changement de numérotation des S-A des nº 1 à 107. Par contre, la numérotation des S-A nº 108 à 175 reste inchangée. (Voir à la fin de ce volume le tableau de correspondance entre l'ancienne numérotation et celle indiquée ci-dessous.)

1 *Réglez-lui son compte !*
2 *Laissez tomber la fille*
3 *Les souris ont la peau tendre*
4 *Mes hommages à la donzelle*
5 *Du plomb dans les tripes*
6 *Des dragées sans baptême*
7 *Des clientes pour la morgue*
8 *Descendez-le à la prochaine*
9 *Passez-moi la Joconde*
10 *Sérénade pour une souris défunte*
11 *Rue des Macchabées*
12 *Bas les pattes !*
13 *Deuil express*
14 *J'ai bien l'honneur de vous buter*
15 *C'est mort et ça ne sait pas !*
16 *Messieurs les hommes*
17 *Du mouron à se faire*
18 *Le fil à couper le beurre*
19 *Fais gaffe à tes os*
20 *A tue... et à toi*
21 *Ça tourne au vinaigre*
22 *Les doigts dans le nez*
23 *Au suivant de ces messieurs*
24 *Des gueules d'enterrement*
25 *Les anges se font plumer*
26 *La tombola des voyous*
27 *J'ai peur des mouches*
28 *Le secret de polichinelle*
29 *Du poulet au menu*
30 *Tu vas trinquer, San-Antonio*
31 *En long, en large et en travers*
32 *La vérité en salade*
33 *Prenez-en de la graine*
34 *On t'enverra du monde*
35 *San-Antonio met le paquet*
36 *Entre la vie et la morgue*
37 *Tout le plaisir est pour moi*
38 *Du sirop pour les guêpes*
39 *Du brut pour les brutes*
40 *J'suis comme ça*
41 *San-Antonio renvoie la balle*
42 *Berceuse pour Bérurier*
43 *Ne mangez pas la consigne*
44 *La fin des haricots*
45 *Y a bon, San-Antonio*
46 *De « A » jusqu'à « Z »*
47 *San-Antonio chez les Mac*
48 *Fleur de nave vinaigrette*
49 *Ménage tes méninges*
50 *Le loup habillé en grand-mère*
51 *San-Antonio chez les « gones »*
52 *San-Antonio polka*
53 *En peignant la girafe*
54 *Le coup du père François*
55 *Le gala des emplumés*
56 *Votez Bérurier*
57 *Bérurier au sérail*
58 *La rate au court-bouillon*
59 *Vas-y Béru !*
60 *Tango chinetoque*
61 *Salut, mon pope !*
62 *Mange et tais-toi*
63 *Faut être logique*
64 *Y a de l'action !*
65 *Béru contre San-Antonio*
66 *L'archipel des Malotrus*
67 *Zéro pour la question*
68 *Bravo, docteur Béru*
69 *Viva Bertaga*
70 *Un éléphant, ça trompe*
71 *Faut-il vous l'envelopper ?*
72 *En avant la moujik*
73 *Ma langue au chah*
74 *Ça mange pas de pain*
75 *N'en jetez plus !*

76 *Moi, vous me connaissez ?*
77 *Emballage cadeau*
78 *Appelez-moi chérie*
79 *T'es beau, tu sais !*
80 *Ça ne s'invente pas*
81 *J'ai essayé : on peut !*
82 *Un os dans la noce*
83 *Les prédictions de Nostrabérus*
84 *Mets ton doigt où j'ai mon doigt*
85 *Si, signore*
86 *Maman, les petits bateaux*
87 *La vie privée de Walter Klozett*
88 *Dis bonjour à la dame*
89 *Certaines l'aiment chauve*
90 *Concerto pour porte-jarretelles*
91 *Sucette boulevard*
92 *Remets ton slip, gondolier*
93 *Chérie, passe-moi tes microbes !*
94 *Une banane dans l'oreille*
95 *Hue, dada !*
96 *Vol au-dessus d'un lit de cocu*
97 *Si ma tante en avait*
98 *Fais-moi des choses*
99 *Viens avec ton cierge*
100 *Mon culte sur la commode*
101 *Tire-m'en deux, c'est pour offrir*
102 *A prendre ou à lécher*
103 *Baise-ball à La Baule*
104 *Meurs pas, on a du monde*
105 *Tarte à la crème story*
106 *On liquide et on s'en va*
107 *Champagne pour tout le monde !*
108 *La pute enchantée*
109 *Bouge ton pied que je voie la mer*
110 *L'année de la moule*
111 *Du bois dont on fait les pipes*
112 *Va donc m'attendre chez Plumeau*
113 *Morpions circus*
114 *Remouille-moi la compresse*
115 *Si maman me voyait !*
116 *Des gonzesses comme s'il en pleuvait*
117 *Les deux oreilles et la queue*
118 *Pleins feux sur le tutu*
119 *Laissez pousser les asperges*
120 *Poison d'avril ou la vie sexuelle de Lili Pute*
121 *Bacchanale chez la mère Tatzi*
122 *Dégustez, gourmandes !*
123 *Plein les moustaches*
124 *Après vous s'il en reste, monsieur le Président*
125 *Chauds, les lapins !*
126 *Alice au pays des merguez*
127 *Fais pas dans le porno*
128 *La fête des paires*
129 *Le casse de l'oncle Tom*
130 *Bons baisers où tu sais*
131 *Le trouillomètre à zéro*
132 *Circulez ! y a rien à voir*
133 *Galantine de volaille pour dames frivoles*
134 *Les morues se dessalent*
135 *Ça baigne dans le béton*
136 *Baisse la pression, tu me les gonfles !*
137 *Renifle, c'est de la vraie*
138 *Le cri du morpion*
139 *Papa, achète-moi une pute*
140 *Ma cavale au Canada*
141 *Valsez, pouffiasses*
142 *Tarte aux poils sur commande*
143 *Cocottes-minute*
144 *Princesse patte-en-l'air*
145 *Au bal des rombières*
146 *Buffalo Bide*
147 *Bosphore et fais reluire*
148 *Les cochons sont lâchés*
149 *Le hareng perd ses plumes*
150 *Têtes et sacs de nœuds*
151 *Le silence des homards*
152 *Y en avait dans les pâtes*
153 *Al capote*
154 *Faites chauffer la colle*
155 *La matrone des sleepinges*
156 *Foiridon à Morbac City*
157 *Allez donc faire ça plus loin*
158 *Aux frais de la princesse*
159 *Sauce tomate sur canapé*

160 *Mesdames, vous aimez ça*
161 *Maman, la dame fait rien qu'à me faire des choses*
162 *Les huîtres me font bâiller*
163 *Turlute gratos les jours fériés*
164 *Les eunuques ne sont jamais chauves*
165 *Le pétomane ne répond plus*
166 *T'assieds pas sur le compte-gouttes*
167 *De l'antigel dans le calbute*
168 *La queue en trompette*
169 *Grimpe-la en danseuse*
170 *Ne soldez pas grand-mère, elle brosse encore*
171 *Du sable dans la vaseline*
172 *Ceci est bien une pipe*
173 *Trempe ton pain dans la soupe*
174 *Lâche-le, il tiendra tout seul*
175 *Céréales killer*

Hors série :

Histoire de France.
Le standinge.
Béru et ces dames.
Les vacances de Bérurier.
Béru-Béru.
La sexualité.
Les Con.
Les mots en épingle de Françoise Dard.
Queue-d'âne.
Les confessions de l'Ange noir.
Y a-t-il un Français dans la salle ?
Les clés du pouvoir sont dans la boîte à gants.
Les aventures galantes de Bérurier.
Faut-il tuer les petits garçons qui ont les mains sur les hanches ?
La vieille qui marchait dans la mer.
San-Antoniaiseries.
Le mari de Léon.
Les soupers du prince.
Dictionnaire San-Antonio.
Ces dames du Palais Rizzi.
La nurse anglaise.
Le dragon de Cracovie.
Napoléon Pommier.

Œuvres complètes :

Vingt-neuf tomes parus.

Morceaux choisis :

1. *Réflexions énamourées sur les femmes*
2. *Réflexions pointées sur le sexe*
3. *Réflexions poivrées sur la jactance*
4. *Réflexions appuyées sur la connerie*
5. *Réflexions sur les gens de chez nous et d'ailleurs*
6. *Réflexions passionnées sur l'amour*
7. *Réflexions branlantes sur la philosophie*
8. *Réflexions croustillantes sur nos semblables*
9. *Réflexions définitives sur l'au-delà*
10. *Réflexions jubilatoires sur l'existence*

Mes délirades

SAN-ANTONIO

MANGE ET TAIS-TOI !

Fleuve Noir

Edition originale
parue dans la collection Spécial-Police
sous le numéro 565.

ISBN 2-265-07577-9
ISSN 0768-1658

Pour Françoise et Michel GRANIER
Avec l'amitié de S.-A.

CHAPITRE PREMIER

(PUISQU'IL EN FAUT BIEN UN)

Au moment où je pénètre dans ce bureau de la grande volière qui sent si bon l'étable, la pipe froide et les pieds chauds, le plus attendrissant des spectacles s'offre à mes yeux blasés : celui de Béru endormi, la tête posée sur son chapeau écrasé, comme un potiron accroupi sur ses feuilles.

Le Gros roupille aussi profondément que les habitants d'Orly un matin où il y a grève totale du personnel navigant.

Chose curieuse, suspecte même, il ne ronfle pas. Pinaud, l'ineffable Pinaud, veille sur ce valeureux sommeil en tétant un mégot désaffecté que la Régie des Tabacs s'apprête à faire classer monument historique. Il est en manches de chemise, Pinuche, avec de larges bretelles rouges sur lesquelles est peint un motif agreste. Il a ôté sa cravate because la chaleur et son vieux cou de dindon étique paraît d'une étroitesse affolante. Sa pomme d'Adam pointe comme s'il venait d'avaler de travers un as de pique. Quelques poils blanchâtres frisent sans conviction sur sa poitrine en caisse d'horloge. Le fossile a conservé son bada, car Pinaud sans chapeau, c'est comme une Rolls-Royce sans son bouchon de radiateur : ça perd tout prestige.

— T'as pas trop chaud ? s'inquiète-t-il obligeamment.

— Le trop n'est pas mesurable, rétorqué-je en posant ma veste de lin blanc aussi immaculée qu'une première communiante sur la face nord du mont Blanc. Disons que j'ai chaud…

La Vieillasse s'évente à l'aide d'un indicateur d'Air France dont le bleu-huit-mille-mètres ennoblit la rétine.

Je m'approche de mon aimable collègue pour admirer de plus près ses époustouflantes bretelles.

— Où as-tu déniché ces lance-pierres, Pinuchet ? je lui demande en tirant sur les sustentes de son cache-misère.

— C'est un cadeau pour la fête des pères, révèle la chère Guenille.

De saisissement, je lâche la bretelle. Ça fait un bruit de contrebasse qu'on hisserait dans un escalier en colimaçon. Pinaud en crache son mégot égyptien, toussote pour se démeurtrir les cerceaux et proteste en respirant bas :

— Ça fait mal !

Je ne perds pas de temps en excuses.

— La fête des pères ! Mais t'as pas de môme, dis, improductif !

Il soupire :

— Je sais bien ; Mme Pinaud n'est pas apte. C'est mon grand regret…

— Alors, qui t'a donné ces ravissantes bretelles ?

La réponse me déconcerte, car elle ouvre un vasistas sur les ténèbres cotonneuses de l'âme pinucienne.

— Moi-même. Je me suis dit que ça devait être agréable de recevoir un cadeau pour la fête des pères.

Une larme trouble perle à ses cils. Il l'anéantit d'un mouvement d'index.

— Ce que je me sens de la tendresse pour ce gamin qu'on n'a pas eu, San-Antonio !

Le claquement des bretelles a réveillé le Gros qui clapote des abat-jour.

— Si t'es en manque de mouflet, fallait répugner ta dame, comme font les rois lorsque leur bobonne a la panoplie fanée, déclare-t-il en se fourbissant l'intime. Quand t'épouses une nana, sur le livret de famille qu'on te décerne y a plein de cases en blanc pour les lardons. A elle de les remplir comme les cases des mots écrasés. Autrement tu as le droit de reprendre tes billes ; à moins, naturellement, que ça soye toi qu'aies une zone dépressionnaire dans le kangourou !

Sur ces fortes paroles, le Gros s'empare de ce qui fut un jour un chapeau, lui redonne, d'un coup de poing, une forme plus appropriée à ses fonctions de couvre-chef, et déclare :

— Chez nous non plus y a pas de larduches. Pas que ma Berthe ne pusse pas récréer ou que moi-même j'aie le coffret à bijoux bloqué, mais à nos débuts difficiles, c'était devenu une hantise l'arrivée d'un chiare. Pour s'épargner cette catastrophe, on avait mis au point un bath numérous de haute voltige avec réception sur les abdominaux. La grande technique ! De ce fait, on a contrasté des habitudes. Y a rien de plus pernicieux. Pour s'en défaire, faut se réduquer tout le système glandulaire, on n'a pas eu la patience…

— En somme, conclut Pinaud, nous sommes trois hommes en pleine forme ici, dont aucun n'est père ! Sa constatation poudre de nostalgie la quiétude de l'instant.

— Voyez-vous, reprend le cher et vénérable ami, je

pense qu'une vie sans enfant, c'est un peu comme... comme...

Il se tait, son appareil à comparatifs étant en rade. C'est Béru qui, toujours grand spontané de la métaphore, vient à son aide.

— C'est une potée auvergnate sans lardons ! propose-t-il.

L'image, encore que culinaire, satisfait néanmoins pleinement Pinuche.

— Textuellement ! remercie-t-il.

— Si ça te travaille les zormones, d'avoir pas progéniture, poursuit Béru, tu peux toujours adopter un gamin, mon pépère. Ça te donne l'avantage de choisir, comme quand tu sélectionnes un chiot dans une couvée ; alors que quand tu te le bricoles toi-même, t'es pas certain qu'il soye pas carrossé façon thalidomide. Je connais des gens qui se sont tricoté gentiment des petits monstrueux dans leurs moments de tendresse. Ils écopaient d'un bambin qu'avait le bec verseur en pomme d'arrosoir ou des brandillons de pingouin. Tu peux pas te gourer de ce qu'y a comme fausses manœuvres dans l'usinage des mouflets.

La Vieillasse branle le chef. Il est sollicité par cette perspective, Pinaud, mais ce sont les inconvénients qui l'inquiètent. Et de les énumérer de sa belle voix bêlante qui me fait toujours songer à un panier empli de bouteilles vides sur le porte-bagages d'un scooter.

— Bien sûr, l'adoption... Mais tu ne peux pas connaître les tenants et les aboutissants de son hérédité, à l'enfant que tu adoptes. Il peut avoir un père alcoolique...

— Ce serait le cas de ton fils si tu en avais un, souligné-je.

Le fossile donne de la bande, accablé par la remarque.

Il subit une brève vision de ce flot impétueux de muscadet englouti depuis qu'on l'a arraché au sein maternel. La perspective de ce torrent le fait frissonner.

— Quand les parents boivent, les enfants trinquent, à ce qu'on raconte, ajoute Béru, c'est pourquoi faut toujours prendre la sage précaution de trinquer soi-même quand on lichetrogne, ça économise les conséquences à notre descendance.

Il retire son chapeau, en torche le cuir interne d'un geste démouleur de pâtissier, et s'en recoiffe.

— Moi, conclut-il, si je voudrais adopter un môme, je ferais comme la Joséphine Baquère : je prendrais un petit étranger qui serait pas de par là. Un noircicot ou un chinetoque de préférence. Ça ferait farce, non, d'annoncer un gentil négus à la compagnie en disant : « J'ai l'honneur de vous présenter mon fils ? »

Pinaud sourit. Vous pouvez pas savoir comme il paraît frêle, bon et délabré, notre Pinuche, lorsque sa vieille vitrine démodée s'illumine. Son rire est comme une barre de néon qui en soulignerait l'indigence. Il est d'un gris uniforme, Pinaud. Le gris de l'usure. La vie lui a patiné la bouille comme un fond de pantalon. Quand il rigole, ça fait comme un accroc au pantalon : c'est farce, mais c'est triste en soi.

— Je vais attaquer Mme Pinaud, décide-t-il.

— A l'arme blanche ? rigole le Gravos ; tu veux essayer de lui placer une dernière fois un lardon dans le désordre ?

— Non, il faut que je la décide à adopter un petit Noir.

— Si t'as une bath occase, prends-m'en un, fait Bérurier. J'ai idée que ça amuserait ma Berthe.

Il s'assombrit.

— Et puis commak elle resterait à la maison au lieu

de s'occuper des bonnes z'œuvres de la paroisse. Depuis qu'elle s'est abonnée à un ouvroir pour tricoter des layettes et laver les pinceaux aux vieillards nécessiteux, la tenue du ménage s'en ressent.

Berthe en dame patronnesse ! Voilà qui est nouveau. Je soupçonne qu'il s'agit là d'un prétexte de la Baleine pour déserter commodément et sous un méritoire prétexte la maison conjugale.

Sa Majesté va à la fenêtre béante pour respirer profondément l'air chaud et poussiéreux qui craque sous la dent comme de la pâtisserie grecque. Il exécute quelques mouvements gymniques pataud qui le congestionnent et lui fendent la chemise à l'endroit du coude.

— Voilà, fait-il en se retournant, maintenant je me sens fraise et dispos : vous trouvez pas curieux qu'on n'a rien à branler depuis quéques jours ? Messieurs les hommes sont allés revernir leurs yachtes en vertu du beau temps ou quoi ?

Comme il dit ces mots, l'interphone se met à nasiller : « Commissaire San-Antonio, s'il vous plaît. »

Béru se trouvant près de l'appareil ouvre d'un geste mâle le canal sonore.

— Le temps de vous en faire un paquet et il est à vous ! répond-il.

Je m'approche de la redoutable boîte grise et m'incline sur elle comme on se penche sur un berceau pour faire des « arrre arrre » à son contenu.

— J'écoute.

Ça vient d'en bas, je reconnais la voix rocailleuse du réceptionnaire de l'hôtel pébroque.

— Une dame vous demande, monsieur le commissaire.

Vous me connaissez ? Spontanément je questionne :

— Jolie ?

La dame en question doit être toute proche du préposé car il baisse le ton et c'est d'une voix confuse qu'il lâche :

— Très, monsieur le commissaire.

— Alors, faites monter !

Déclic !

Et des claques ! Celles que Béru s'administre sur les jambons.

— V'là qu'on vient relancer môssieur jusque sur son chantier ! pouffe-t-il. Le beau linge peut plus patienter jusqu'aux heures de fermeture ! Faut-il que j'enfile ma veste pour être plus présentable, dis, San-A ?

— Boutonne seulement ta braguette, ça suffira, lui enjoins-je.

Et voilà-t-il pas que l'interphone grésille à nouveau ; mais cette fois-ci, c'est l'organe froid du Vieux.

— Vous êtes là, San-Antonio ?

— Je, monsieur le directeur !

— Vous pouvez monter, c'est urgent !

— J'arrive.

Le temps de renouer ma cravate.

— Faites patienter la dame annoncée, dis-je à mes subordonnés, et tâchez de vous tenir convenablement.

— Tu peux partir tranquille, promet Béru, j'y ferai des tours de cartes et j'y chanterai « Les Matelassiers » pour lui faire prendre patience.

Je m'esbigne. Coup de périscope dans le couloir, mais personne dans les horizons. Le réceptionnaire a dû la fourrer dans le vieil ascenseur hydraulique qu'on n'utilise plus que pour grimper les caisses de bière ou le ministre, tant il est lent.

*
* *

Je sais pas si le Big Dabe a son retour d'âge, toujours est-il qu'il s'est fringué en Roméo par cette superbe matinée de juin. Il porte un blazer à rayures saumon, grises et bleu pervenche ; un pantalon de flanelle grise, une chemise blanche et une cravate bleue. On lui donnerait cent ans de moins, facile ! Sa coupole étincelle comme le phare tournant d'une ambulance et il sent l'eau de Cologne de luxe. Peut-être qu'il s'est levé une nana, monsieur le dirlo, allez savoir ? L'amour, personne lui échappe. J'en sais des malins qui vivaient bien à l'abri, s'estimaient hors d'atteinte… Et puis un jour : crac ! Le coup de buis derrière la tronche et le palpitant à l'incandescence ! C'est comme les accidents : on se figure toujours qu'ils n'arrivent qu'aux autres, jusqu'au jour où l'on se retrouve dans une chambre d'hosto avec une guitare emballée comme un appareil d'optique et un drain de 8 m 47 branché dans le sac à boyaux.

Comme toujours, il me tend sa belle paluche de prélat qu'une gentille manucure doit lui fourbir bihebdomadairement.

— En forme, San-Antonio ?

— Je suis positivement branché sur la force, monsieur le directeur.

Il est décidément très joyce, le Scalpé. Quelques poils gris s'accumulent en couronne autour de son donjon. Il rectifie la position de sa chevalière dont le camée représente Cupidon à la bataille de Marignan et soupire :

— J'ai un petit travail pour vous, du genre aimable.

— A vos ordres, patron.

— La brigade des stupéfiants vient d'être ridiculisée par une bande de trafiquants.

Ça le fait marrer rétrospectivement, le Big Boss. Il adore quand les collègues des autres services ont des avaries. C'est le genre de mec qui est plus sensible au malheur d'autrui qu'à son propre bonheur.

— Ils se sont laissé posséder comme des enfants ! J'ai envie de lui dire que ça arrive dans toutes les bonnes carrières de flic, d'être repassé sottement un jour ou l'autre. Au cours de l'année 33-34, toute la volaille amerloque était mobilisée contre Dillinger, mais l'ennemi public number one se tirait de toutes les embuscades à la faveur d'incidents ridicules qui jouaient en sa faveur. Ça a un non, ce truc-là. Ça en a même plusieurs. On l'appelle la baraka, le bol, le pot, ou plus communément la chance. Jusqu'au jour où Dillinger s'est fait assaisonner à la sortie du cinéma où il venait de visionner un film de tueurs ! Le propre de la veine, c'est de ne pas durer. Ceux qui en bénéficient croient qu'ils l'ont annexée une fois pour toutes, alors ils jouent hardiment avec elle. Et puis elle les quitte, vu que c'est une capricieuse maîtresse qui n'aime pas se laisser chahuter trop longtemps. Sur le moment, le ci-devant veinard pense qu'il s'agit d'un accident, d'une erreur. Il glapit à la maldonne. Il lui faut beaucoup de temps pour piger qu'il l'a dans le fion, bien profond et définitivement. Cornard, il est devenu. Bon à nibe côté réussite. Ses entreprises lui claquent dans les pattes aussi aisément qu'cllcs aboutissaient naguère. Il vient d'écoper de la cerise. Le voilà incorporé dans les rangs lamentables des pas-vergeots, des paumés, des locdus ; promu sociétaire à part entière dans la compagnie de la mouscaille en branche.

— Imaginez, se délecte le Dabe, que nos petits amis avaient reçu une dénonciation informant qu'on allait débarquer une malle-cabine truquée d'un long-courrier de la ligne d'Orient et que cette malle contenait trente kilos d'héroïne. Ils se postent donc à Orly et, lorsque le

Boeing signalé se pose, ils vérifient les bagages. Effectivement une grosse malle est dégagée de la soute. Ils l'explorent, découvrent qu'elle possède une double paroi et mettent la main sur l'héroïne annoncée. Ravis de l'aubaine, nos braves collègues laissent la marchandise en place et courent se poster dans la salle des douanes où les passagers vont récupérer leurs bagages. Leur intention, vous l'avez devinée…

— Est de filer le coffre pour remonter le réseau de trafiquants, complété-je…

— Naturellement, ratifie le Vioque, naturellement…

Il jubile, il se pourlèche, matou vicieux, vieux mouilleur, gentil requin d'eau de boudin.

Je devine qu'ils se sont fait mochement doubler, les copains des stupes, pour que l'homme à la casquette en peau de fesse se marre pareillement, pour qu'il glousse, pour qu'il pouffe, pour qu'il époustoufle, pour qu'il maroufle, pour qu'il s'essouffle de la sorte. La grosse arnaque lamentable. Le chat qui fait joujou avec la souris traquée et qui la voit se débiner par un trou propice.

— Deux hommes sont venus prendre livraison du colis, reprend-il.

— Connus ? l'interromps-je.

— Non. Les policiers ne les avaient jamais vus sur aucun fichier.

— Ensuite ?

C'est pourléchant, en effet, comme histoire, lorsqu'on connaît la fin. On sait que les matuches ont eu droit à leur certificat de pommes-à-l'eau, mais on se demande de quelle manière s'est passé l'examen.

Ça doit être vachement hilarant, décidément, à la façon que cet homme d'ordinaire si grave se fend le tiroir-caisse !

— Ils ont franchi la douane sans incident, étant

donné que les inspecteurs avaient fait le nécessaire auprès des gapiants pour que ceux-ci n'ouvrent pas la malle. Les deux hommes, une fois hors de l'aérogare, se sont mis en quête d'une voiture-camionnette capable de transporter leur volumineux fardeau... Ils ont fini par trouver un taxi-fourgonnette du genre break Citroën qui a accepté de charger la malle. Vous me suivez ?

— Mieux que nos collègues n'ont suivi les deux types, si j'en juge à vos réactions, monsieur le directeur, susurré-je (car, soit dit entre nous, un petit coup de lèche en passant n'a jamais fait de mal à personne).

Le déboisé de la colline se met à tambouriner son sous-main avec un coupe-papier, je crois pas me gourer en affirmant qu'il interprète « la Marche lorraine ».

— Vous me faites languir, patron ! geins-je.

Il a pitié.

— C'est plus beau que tout ce que vous pouvez imaginer, mon cher ami. Le taxi a traversé Paris sans s'arrêter pour gagner l'aéroport du Bourget. Une fois là, les deux hommes ont déchargé la malle-cabine et l'ont fait enregistrer pour l'avion de Madrid qui devait décoller à 12 h 35 le même jour...

Il abandonne son coupe-papelard pour dessiner des choses confuses sur son bloc. Il fait des tortillons, des panaches, des fanions. Il trace des lettres majuscules.

— Ce que voyant, reprend-il enfin, nos bons collègues en ont référé à leur chef afin de savoir s'il convenait d'intervenir. Ordre leur a été donné d'appréhender les deux hommes et de confisquer la malle. Ce qu'ils ont fait sur-le-champ. Les deux trafiquants ont poussé des hauts cris et brandi des passeports helvétiques. Ils se prétendaient honnêtes citoyens suisses habitant Zurich et appartenant à un consortium de produits chimiques. Malgré leurs véhémentes protestations, ils ont été conduits, ainsi que leur malle, à la brigade des stupéfiants. On leur a formellement demandé si ladite malle leur appartenait, ils en ont convenu sans barguigner. Lors, les inspecteurs ont ouvert la malle, théâtralement je suppose, certains qu'ils étaient de confondre les deux Suisses. C'est eux qui furent confondus car la malle ne contenait plus que des effets ! Disparus, son double fond et sa marchandise prohibée !

Le Vieux glousse comme un troupeau de dindons croisant sur son chemin un troupeau de limaçons.

— Que dites-vous de ça, mon bon ami ?

— Joli tour de passe-passe, conviens-je en rigolant. Je vois d'ici la physionomie des camarades ! Ils ont dû relâcher leurs Suisses avec des excuses, je suppose.

— Bien entendu. Ils les ont même reconduits, eux et leur satanée boîte magique, jusqu'au Bourget où ils ont pris l'avion pour Madrid ; et en leur adressant des excuses par-dessus le marché !

Le Vioque redevient grave et se lève. Il contourne son burlingue et s'assied sur un angle du meuble afin de me dominer de toute sa scintillante calvitie.

— *A priori*, quel est votre avis, San-Antonio ?

— Ça ressemble à du Maurice Leblanc, soupiré-je. Je ne veux pas accabler mes petits amis de la maison coco[1] qui ont dû se faire shampouiner de première[2] mais je trouve qu'ils se sont montrés bien légers en se désintéressant du break Citroën frété par les deux Suisses à Orly.

— N'est-ce pas ? exulte le dirlo.

— Et comment ! Car de toute évidence, c'est à l'intérieur de ce véhicule que la malle a été débarrassée de son contenu et a repris une conformation honnête.

1. Diminutif de cocaïne, bien entendu.
2. Entendez par là se faire laver la tête !

Tandis que les flics continuaient de surveiller les deux lascars et leur colis, la came repartait dans le taxi…

— C'est tellement vrai, approuve le Vieux, qu'on n'a pas retrouvé trace de ce dernier. L'astuce diabolique des convoyeurs de la malle fut de « chercher » apparemment un taxi qui, en réalité, « les attendait ». En procédant ainsi, ils blanchissaient leur chauffeur…

— Avec de la neige, pouffé-je, mais ça ne fait pas marrer l'homme-au-crâne-en-forme-de-croûton.

Il ne rit que de ses propres boutades, le Big Boss, ce qui explique sa gravité congénitale.

— Voyez-vous, patron, sérieux-je, je me demande si tout ça n'est pas une magnifique machination…

— C'est-à-dire ?

— Je pense à cette dénonciation ; il me semble qu'elle faisait partie d'un plan savamment ourdi. Nos « droguistes » avaient, pour une raison qui m'échappe encore, besoin du concours de la police française. Peut-être étaient-ils menacés par une autre bande ?

— C'était tout de même risqué, murmure le Big Old, car supposez qu'ils eussent été arrêtés au moment de la découverte de la drogue ?

— Le risque était inexistant, patron. Toutes les polices du monde emploient sensiblement les mêmes méthodes et lorsqu'elles découvrent trente kilos d'héroïne dans une valise, elles se mettent à filer la valise pour démasquer le maximum de gens.

— C'est vrai, admet mon illustre interlocuteur. Eh bien, vous allez vous charger de l'enquête, mon cher.

Il saisit une grande enveloppe en papier kraft posée verticalement contre son encrier de marbre.

— Vous trouverez là-dedans toutes les notes qu'on a pu réunir sur cette histoire : identité des deux Suisses, provenance de l'avion ayant amené la malle à Orly, description du taxi-break, etc. Je pense que vous m'apporterez très vite du nouveau.

A la façon dont il affirme ça, on se rend très bien compte, à moins d'avoir, comme vous, du soufflé au fromage à la place du cerveau, qu'il ne s'agit pas d'une supposition mais d'un ordre.

Sa main réapparaît devant mes yeux. Une main congédieuse. Je me lève, la serre, sors. C'était trop bath, cette période de farniente ; ça ne pouvait pas durer.

Lorsque je rejoins ma base, à savoir ce local pestilentiel que l'administration a qualifié de bureau et que je partage avec Béru et Pinuche, je suis sidéré en y découvrant une ravissante jeune femme, blonde comme l'été, belle comme le jour, excitante comme la nuit, roulée comme une Gitane, parfumée comme un jardin de curé, vêtue comme une déesse et triste comme une mélodie de Chopin. Captivé par le récit du Vieux, j'avais oublié la visiteuse annoncée.

Celle-ci est étrangère, anglo-saxonne je suppose. Elle a des yeux bleu foncé et une bouche large et charnue (comme je les aime). Elle tient un verre de vin rouge d'une main, un morceau d'andouille de Vire de l'autre et écoute digresser Béru. Mon compère fait à la jeune femme un cours sur la parfaite entente qui règne entre le beaujolais-villages et l'andouille. Il souligne la beauté de cette harmonie réalisée par deux produits nés dans des régions pourtant éloignées l'une de l'autre. Selon lui, l'unité française, c'est ça ! Les invasions, non plus que les guerres de religion, n'ont pu morceler une terre unifiée par ses ressources gastronomiques. Il dit que si, en 42, l'Allemagne a investi la zone dite libre, c'est uniquement pour faire main basse sur les vignobles des côtes du Rhône, sur le saucisson de Lyon, sur les foies gras du Périgord, sur le jambon d'Auvergne et la bouillabaisse de Provence. La dame l'écoute en buvant le gros rouquin et en mordillant son morceau d'andouille. C'est pas une bêcheuse.

— Tiens, le v'là ! s'interrompt le Mastar en me désignant d'un index peu protocolaire.

La jeune femme me regarde. Il y a quelque chose d'ardent et de pathétique dans ses grands yeux. Un calme et beau sourire entrouvre ses lèvres sans pour autant égayer son visage.

— Alors, c'est vous le commissaire San-Antonio ? elle murmure avec un accent américain tellement prononcé qu'on a envie de courir acheter une méthode Assimil !

— J'ai ce plaisir, lui dis-je, car c'en est un d'être San-Antonio lorsqu'une aussi ravissante personne le réclame !

J' sais pas si vous mesurez la portée du madrigal, les gars, avec vos petites tronches de microcéphales, mais je peux vous dire que ma visiteuse, elle, l'apprécie. Pour la première fois son expression devient joyeuse. Et ça lui va bien. L'anneau de brillants qui orne sa main gauche indique qu'elle est marida et je ne peux m'empêcher d'envier l'heureux bénéficiaire de ce petit sujet.

— Mon nom est Laura Curtis, dit-elle.

Curtis ! Il y a un léger déclic en moi. Curtis ! Je revois un visage basané, carré, joyeux, intrépide.

— Seriez-vous une parente de Curt Curtis, de l'aviation américaine, à qui je dois la vie ?

Elle acquiesce.

— Je suis sa femme.

CHAPITRE II

Ça me fait tout chose. Je fixe cette fille avec attendrissement. Toutes mes pensées polissonnes se sont évaporées. La femme d'un ami qui vous a sauvé la mise, c'est archisacré, non ? Ou alors y a plus de morale. Et la vie, sans morale, ça devient vite un truc anarchique. De la fantaisie ? Oui ! De l'anticonformisme ? Sûrement ! Mais pas d'immoralité, sinon c'est la cadence même de l'existence qui est paumée.

Curt Curtis ! On s'est pas fréquentés longtemps, mais ça a été une rencontre de qualité. Et qui devait avoir sur mon destin une importance primordiale puisqu'il m'a conservé la vie, Curt. Vous dire comment et dans quelles circonstances remplirait tout ce bouquin et faudrait que j'arrime une remorque pour vous narrer ce que j'ai commencé. Ce sera pour une autre fois, plus tard, quand je pourrai tout dire sans crainte de me faire taper sur les fingers[1].

1. En réalité, les moins hypertrophiés du bulbe l'auront déjà deviné, j'ai la flemme de vous inventer des salades qui n'auraient rien à voir avec celles en cours. Je prends le postulat d'un officier amerloque qui m'aurait sauvé la vie, ça doit vous suffire, m… ! Si trop cartésien,

Il y a dix ans… Dans le Pacifique, ça s'est passé (pourquoi pas ?) entre l'île Chprountz et l'archipel des Tuamontoutou, juste à gauche quand vous sortez de la gare ! Vous pouvez pas vous gourer ! Quelle histoire ! Moi dans la piscine de ce salaud de Ted Deulards tellement bourrée de caïmans qu'elle ressemblait à une monstrueuse boîte de sardines. Ligoté, j'étais. C'est à ce moment-là – combien opportun – que Curt Curtis est arrivé chargé de mitraillettes au point qu'il ressemblait au porte-parapluies d'un club londonien en automne. Cette fiesta ! L'eau de la piscine était toute rouge. Quand il m'a eu tiré de là, je ressemblais à Plume-dans-le-prose, le chef sioux de la tribu N' D'genève. Sans Omo, j'étais bonnard pour me retirer dans une réserve du Michigan et fumer des calumets de la paix bourrés d'Amsterdamer devant des touristes kodakeux et extasiés.

Ah oui : sans Curtis, je vous jure… Pour ce qui est de lire du San-Antonio, vous pouviez vous l'arrondir à la meule à aiguiser l'appétit. Mieux qu'un petit Français égaré au-delà des mers, c'est l'avenir de la littérature qu'il a sauvé, Curtis ! Je vous le dis pour que vous puissiez lui célébrer des actions de grâces (et des actions de maigre le vendredi) à cet homme. Quand on y songe, l'enchaînement des choses, hein ? Un petit officier américain de rien du tout, né dans le Connecticut d'un laveur de carreaux et d'une colleuse-d'étiquettes-sur-pots-de-marmelade, qui vient un beau matin assurer la

s'abstenir. C'est pas l'arbre généalogique des Habsbourg que je vous plante là ! D'accord, cent pour cent de mes confrères vous tartineraient des trucs émotionnants sur mes pseudo-aventures avec ce Curtis, par conscience professionnelle, croiraient-ils ! Mais la conscience professionnelle c'est comme les cornichons : ça ne se sert pas systématiquement avec tous les plats. Et puis enfin je suis trop bon de vouloir me justifier : c'est comme ça et pas autrement, na !

pérennité des lettres françaises ! Emouvant, non ? On a le vertige rien que d'y songer, comme moi j'ai le vertige rien qu'en me penchant sur le décolleté de son épouse !

— Ce cachottier de Curt ! m'exclamé-je, il aurait pu m'annoncer son mariage.

— Il n'en a pas eu le temps, c'est tout récent, répond la belle jeune femme.

Et elle se raconte, tranquillement.

— Nous avons vécu ensemble pendant huit ans, nous ne pensions pas au mariage car nous étions très heureux ainsi. Mais dernièrement, Curt a été envoyé au Viêtnam, ça a provoqué en lui une espèce de prise de conscience et il a absolument voulu m'épouser avant de partir. Il m'a dit : « Laura chérie, au cours de ma carrière d'officier je n'ai pas fait beaucoup d'économies, alors, s'il m'arrive quelque chose je veux au moins te laisser mon nom ! »

Je reconnais bien là le langage désinvolte de Curt.

— Et justement, il lui est arrivé quelque chose, ajoute-t-elle en détournant la tête par politesse, afin de nous cacher sa détresse.

Ma gorge se noue.

— Mort ! coassé-je. Elle plante ses yeux intenses dans les miens.

— Curt doit être fusillé jeudi matin, dit-elle.

Je fais un rapide calcul. Nous sommes lundi. Effectivement, le temps qui reste imparti à mon copain d'outre-Atlantique (comme on dit dans les baveux) est mince.

— Il doit être fusillé par les Viets ?

— Non, commissaire : par les Américains…

Le gars Béru qui, jusqu'alors, a écouté attentivement et presque respectueusement, en se contentant de curer les brèches de ses chicots à l'aide d'une épingle à cheveux ramassée sur le trottoir, le gars Béru, répété-je pour le remettre dans vos petites mémoires frelatées, émet le plus beau barrissement qu'un éléphant ait jamais poussé.

— C't'un traître alors, vot' bonhomme ! s'exclame-t-il à la suite du cri pachydermique annoncé plus haut.

— Je t'en prie ! tonné-je.

Il plaide non coupable.

— Ben quoi, mec, si ton pote est ricain et que ça soye des Ricains qui le poteautent, c'est signé forfaiture, non ?

— En effet, dit Laura Curtis d'une voix ferme, c'est bien en qualité de traître qu'on va le passer par les armes, mais je suis certaine de son innocence. Vous connaissez Curt, *mister* San-Antonio, l'estimez-vous capable de trahison envers son pays ?

— Sûrement pas ! Qu'est-il arrivé ?

— Il a été chargé d'une mission de reconnaissance au-dessus d'un secteur occupé par les Viets. Il pilotait un hélicoptère et avait six hommes avec lui à bord. La D.C.A. ennemie leur a tiré dessus ! Son appareil a été atteint et il a dû se poser en catastrophe.

Elle boit une gorgée de vin rouge, ce qui a le don d'amadouer Béru. Les nanas, il les aime nature. Foncièrement contre les minaudières, il est, le Gros. Les miss Chochotte l'ulcèrent jusqu'à la moelle.

— Torchez le godet, ça vous remontera le moral, préconise-t-il. Quand on traverse une mauvaise passe, faut se blinder le mental au picrate, mon petit.

Elle obéit et vide son verre.

— La suite des événements, mistress Curtis, imploré-je.

— Oh, appelez-moi Laura, fait-elle.

Sa Majesté me virgule une œillade lubrique, style « te voilà déjà placé sur ta rampe de lancement, polisson ! ». Mais je le détrompe d'un haussement d'épaules.

— Curt et son équipage ont été faits prisonniers, continue la jolie visiteuse. Mais huit jours plus tard, mon mari est parvenu à s'évader. Il a récupéré son appareil que des mécaniciens viets avaient réparé et a regagné sa base près de Saigon.

— Bel exploit, apprécié-je, et qui ne m'étonne pas de lui ! Où est la traîtrise dans tout ça, Laura ?

— Attendez ! Sur le moment, il a été accueilli en héros, fêté, complimenté. Mais hélas, quelques heures plus tard, alors qu'il se trouvait dans un hangar de l'U.S. Air-Force, son hélicoptère que les Viets avaient diaboliquement piégé, explosait, détruisant ou endommageant une vingtaine d'autres appareils. Du coup, mon mari fut mis aux arrêts cependant qu'une enquête était ouverte.

— Bien joué de la part des Viets, dis-je. C'est eux qui, mine de rien, avaient facilité son évasion, je suppose ?

Laura opine.

— C'est ce que Curt a cru comprendre. Il a fait part de son point de vue à la Commission militaire chargée de statuer sur la question. Il est probable que celle-ci aurait abondé dans son sens, étant donné les états de service de mon mari, mais un fait nouveau se produisit : à la suite d'une contre-attaque des forces sud-vietnamiennes, l'équipage de mon mari fut délivré. Ses hommes prétendirent unanimement que Curt, pendant sa détention, avait entretenu d'excellents rapports avec les Viets et que c'est avec leur bénédiction qu'il s'était envolé.

Elle soupire :

— Aussitôt, il fut traduit devant un conseil de guerre

qui le condamna à mort. Dans un peu plus de quarante-huit heures il sera passé par les armes. J'ai fait des pieds et des mains pour tenter d'obtenir sa grâce, mais le Haut Commandement n'a pas le cœur très sensible en ce moment et la sentence va être exécutée.

Un pénible silence s'établit. Bérurier crache un morceau d'andouille qu'il vient de s'extirper d'une carie béante.

— Que dit Curt ? je demande.

— J'ai reçu de lui une lettre d'adieu, murmure Laura en ouvrant son sac à main. Il est bon que vous en preniez connaissance, car elle vous concerne. Vous lisez l'anglais ?

— Parfaitement bien, Laura.

Elle me tend une petite feuille de méchant papier concentrationnaire. La lettre est brève, écrite au crayon. Les larmes de Laura Curtis l'ont constellée de petites cloques.

Je lis, non sans une vive émotion :

Laura chérie,

Je croyais te faire un dernier beau cadeau en te donnant mon nom ; il paraît que non. Et pourtant je suis aussi innocent que l'agneau qui vient de naître[1]*. Dieu m'a réservé la plus cruelle des fins. Mais ma mort n'est rien, seul compte ce déshonneur que je n'ai pas mérité. Laura, au nom de notre grand amour, attache-toi à faire réhabiliter ma mémoire. A ma connaissance, un seul homme pourra t'aider dans cette tâche : le commissaire San-Antonio dont je t'ai souvent parlé, c'est un type*

1. Métaphore typiquement américaine et que nos ex-alliés utilisent beaucoup car, sur le plan épistolaire, ce ne sont pas des champions.

comme ça ! Si les flics de mon pays n'ont plus confiance en moi, lui, je l'espère, saura démontrer ma parfaite bonne foi. Je te dis adieu du fond de l'âme. A toi pour toujours,

Curt C.

P.S. : Si tu vas trouver San-Antonio, mets des lunettes et déguise-toi en institutrice libre car il est terriblement porté sur les femmes et ça m'ennuierait, même mort, d'être fait cocu par lui.

Je souris à ce dernier paragraphe. Seul un homme courageux, un homme honnête peut avoir le cœur à faire de l'esprit sur une missive d'adieu.

Laura plie le sombre message et le serre dans son sac. Un bath sac en croco. M'est avis qu'il commence à se faire tard pour les caïmans, les gars. Depuis que les nanas réticulent avec leur peau et que les marlous se chaussent du même métal, ces pauvres bestioles vont être bientôt en voie d'extinction. Heureusement qu'ils savent pleurer, les crocodiles. Ils peuvent verser des larmes sur ces fâcheux caprices de la mode qui les déciment et les font tanner !

— J'ai reçu cette lettre samedi soir, à New York, *mister* San-Antonio.

— Appelez-moi Antoine, lui renvoie-je-la-balle.

— Le temps de sauter dans un avion et me voici, Antoine.

Elle n'en dit pas plus. A quoi bon ? J'ai pigé l'espoir insensé qui l'anime. « Un seul homme pourra t'aider », lui a écrit Curt. Lui parlait de son honneur, mais c'est sa peau qui intéresse Laura. Les femmes sont plus pratiques que les hommes. L'honneur, pour elles, c'est une marotte masculine, au même titre que la pipe, les chiens de chasse et les histoires salées. L'honneur d'une femme consiste à ne pas porter dans un cocktail la même robe qu'une autre dame et à ne pas trouver dans sa chambre à coucher un soutien-gorge qui ne lui appartient pas. Laura, elle s'en fout un brin de la mémoire de Curt, c'est à sa vie qu'elle tient. Alors, dans sa jolie petite cervelle yankee, elle s'est dit que si ce soi-disant San-Antonio remplaçait le beurre, il pourrait peut-être l'aider à tirer Curt du merdier.

— Tu veux un petit coup de rouge pour trinquer avec moi et madame ? demande obligeamment Béru.

— Avec plaisir.

Je sens leurs quatre z'yeux braqués sur ma personne. Le Gravos connaît son maimaître. Il n'a pas lu la lettre, mais il a subodoré son contenu. Il devine que je vais prendre une grande décision…

— Laura, fais-je doucement, vous voulez bien traduire la lettre de votre mari à mon camarade Bérurier ici présent ? C'est un garçon totalement analphabète et qui ne connaît d'anglais que le mot barman.

Elle m'obéit. Flatté, Béru prend une attitude adéquate et concomitante pour déguster. Il ferme à demi les yeux, comme un mélomane au concert quand il savoure le solo de flûte. Laura traduit. Nouveau silence. Sa Majesté joint ses deux paquets de saucisses sur la table, considère ses ongles ébréchés croissant-lunés de noir et déclare :

— Ton pote, San-A, m'est avis qu'effectivement il a la blancheur Persil. Un zig qui se serait éclaboussé le pedigree demanderait pas à sa veuve de lui faire redorer l'honneur.

Puis, doctoral, à Laura :

— C'est jeudi, vous dites, qu'on le flingue, votre époux ?

Sa délicatesse me fait frémir, mais je m'abstiens de la souligner, espérant que le français de la jeune femme n'est pas suffisamment raffiné pour lui permettre d'apprécier à sa juste valeur celui de l'Eminent.

— Oui, répond-elle, jeudi matin, devant tous les gars de son escadrille.

Béru opine, puis il ouvre le tiroir de son bureau et en extrait successivement : un fer à friser, un quignon de pain rassis, un piège à taupe, deux fourchettes à escargots, un cendrier réclame, un robinet de cuivre vert-de-grisé, une photographie de M. Georges Pompidou, deux porte-mines sans mines, un numéro d'*Eclats de Rire*, huit centimètres de boudin aux raisins, un tournevis, un tournemain, un tour de cartes, un tour est joué, un tour dans son sac, un plan de Tours, une tour d'ivoire, une couenne de gruyère, un collier de chien, un sécateur, un gland, un rabbin, un bouquet de persil, un fer à cheval, un porte-clés obscène, une paire de quenouilles, un purgatif, un réveil démonté, un harmonica, deux timbres oblitérés représentant le général de Gaulle acclamé par les Martiens, seize mouches mortes parfaitement momifiées, quelques queues de radis, une chaussette verte trouée à ses extrémités, une pile électrique désacculée, un conseil d'ami, un cachet de caoutchouc au nom d'une certaine entreprise Mordicus et Soutien, un cachet d'aspirine, une pipe en terre, une pie-panthère, un baccalauréat en blanc, une crise de larmes, un portrait représentant Jehanne d'Arc sur son lit de mort, un n'aveu complet, un passeport délivré à un sieur Delong, une vue sur la mer, une prise de bec, un collet monté, un cric d'horreur, un complément d'information, un minus habens, la biographie du ministre de l'Education nationale, un reste de cassoulet toulousain, des lunettes de soleil, un disque bleu des Vosges et un horaire d'Air France.

C'est ce dernier objet qu'il cherchait.

— Mate un peu les vols pour Budapest, Gars, me demande l'Enflure.

— Pourquoi Budapest ? m'étonné-je.

— C'est pas la capitale du Viêt-nam, peut-être ? se gausse l'Illustre Gaudissart.

— Ça n'est qu'un de ses chefs-lieux de canton, le renseigné-je obligeamment, car je pars du principe qu'il n'est jamais trop tard pour parfaire l'instruction d'un individu, fût-il aussi érudit que l'est Béru.

Il a donc la même pensée généreuse que moi, le Gros : foncer là-bas pour tenter l'impossible. A nouveau mes yeux se posent sur le visage anxieux de Laura. Tout un circus astucieux s'élabore dans ma vaste tronche. Vous avez déjà vu ces pendules dont le coffrage de verre permet de suivre le fonctionnement de ses rouages.

Si le créateur, qui s'est permis bien d'autres fantaisies, m'avait doté d'une boîte crânienne en plexiglas, vous pourriez admirer le mouvement de ma gamberge. Il a pas lésiné sur les rubis, le Barbu, croyez-moi ! Ça baigne dans l'huile, là-dedans. Seconde après seconde, mon plan s'élabore, se charpente, prend de l'altitude. M'est avis que nous allons bientôt en prendre aussi. Je ligote l'horaire. Nous avons un vol ce soir, arrivée à Saigon demain mardi. Il nous restera une trentaine d'heures pour tenter ce qu'un étranger se permettrait d'appeler l'impossible. A condition toutefois de trouver de la place à bord et surtout, mes enfants, à condition que le Vioque se laisse manœuvrer.

Je décroche le tube pour appeler Air France. De ce côté, pas de problo : les trois réservations sont O.K. dans les dix minutes.

Laura ne me lâche plus des yeux. Je la fascine. Tout

ce qui lui reste de courage et d'espoir, elle me le dédie, la pauvrette.

— Où est Pinuche ? demandé-je brusquement.

— Il est en train de se changer, bougonne Béru.

— Comment ça, se changer, il va à une réception à l'ambassade d'Auvergne ?

— C'est l'heure de sa leçon d'équitation !

Effectivement, la porte du lavabo s'ouvre et Pinuche fait une apparition presque équestre.

Il porte une culotte de cheval blanche, seize fois trop large pour lui, des bottes de pêche en caoutchouc noir rustinées de rouge et un pull-over cerise, qui fut reprisé en beige, en gris, en bleu, en vert, en jaune et même en violet. Mais le fin des fins, le sublimissimo, l'inattendu, le couronnement, le merci-mon-Dieu-de-nous-avoir-permis-de-voir-ça, c'est l'authentique bombe qu'il porte non pas crânement, mais temporalement, vu qu'elle lui descend jusqu'aux sourcils et qu'elle descendrait beaucoup plus bas encore si ses éventails à moucherons ne la retenaient. Sous ce couvre-chef de piqueur, sa pauvre bouille ressemble à quelque concombre en péril qu'un jardinier forcené tenterait de sauver en le mettant sous cloche.

Cette apparition nous éberlue, nous hurluberlue, nous déconnecte le grand zygomatique. On se frotte les châsses, on se tient les paupières soulevées au moyen d'allumettes, on s'entre-pince pour s'assurer qu'on ne dort pas, on se confirme la réalité, on se demande comment ça peut se faire, on se met la raison de côté, on espère que c'est une hallucination collective, on cherche des références dans le passé Fatima, les soucoupes volantes, on se dit que ça aide à vivre, on envisage ce que de Funès donnerait dans le rôle, on voudrait : appeler du monde, téléphoner à *France-Soir*, impressionner de la pellicule, bien retenir chaque détail, savoir si les Américains ont ça chez eux, être certain que ça ne compromet pas la force de frappe…

— Mazette, bée Béru-bébé-rose, on durerait Jonquille d'Oriola ou le chevalier d'Orgelet ! Tu vas décrocher une médaille aux prochains jeux olympiens, catégorie tape-cul, Pinuche !

La Vieillasse se pavane comme une infante défunte.

— J'ai trouvé tout l'équipement au Carreau du Temple, révèle-t-il. Parce que, voyez-vous, l'équitation, c'est comme le tennis : ça nécessite la tenue.

— Exaquete ! renchérit Alexandre-Benoît. T'as des michetons vanneurs qui se croyent flambards parce qu'ils ont une braguette de pénis, mais le pénisman authentique sans sa Lacoste et son chorte blanc, il ressemblerait à un marchand de gaufres.

Il reconsidère son compagnon.

— Tu fais M'sieur le Baron, commak, pépère, on dirait franc que tu pars pour la chasse à courre ; y te manque plus qu'un corps d'échasse pour sonner l'aïoli !

— Tu fais du bourrin, à c't' heure ? je demande à la Vieillasse.

— C'est médical, explique Pinaud. Mon toubib m'a préconisé l'exercice. Quand on arrive à mon âge, il faut du mouvement sinon l'infarctus vous guette !

Laura surmonte son éberluement pour questionner :

— Il y a longtemps que vous montez ?

— Je commence dans une heure à Saint-Germain-en-Laye, annoncer Pinuchet.

— Moi, à ta place, j'eusse choisi la pétanque, déclare le Mahousse. D'accord, la tenue est moins fringante, mais aussi c'est moins risqué. Du cheval, j'en ai fait une fois, avec ma Berthe. C'était l'époque qu'elle avait ses crises de tactique hardie[1]. Le toubib aussi lui ordonnait le sport. Justement on se trouvait en Suisse et y avait un loueur de gails à côté de l'hôtel. Un grand zig à tronche de corbak. On va lui esposer le cas et il se déclare bonnard pour une balade en forêt. Vu not' un bon point[2] il nous cloque des percherons grands commak ; pour grimper dessus, y nous a fallu son escabeau de cuisine. Bon, on se juche. L'équilibre, ça allait à cause des marchepieds que ça aide bougrement de chaque côté de la selle. On déhotte. Y avait d'autres baladeurs avec nous, des cavaliers bien esperts et bien gentils qui nous refilaient des conseils. « Maintenez votre assiette ! » ils nous disaient, ces tantes ! De la manière qu'il se remuait le fion, mon dada, je me gaffais qu'elle allait se briser vite fait, mon assiette, et avec elle mon service trois pièces, mon verre de montre et mon échine d'or sale ! Vachement traîtres, les bourrins, mine de rien. Vous êtes là, à marcher au pas en vous cramponnant aux ficelles, et puis suffit que çui de devant se mette au trot pour que les autres l'imitent. Panurge, il est, le cheval. On cause toujours : la plus belle conquête de l'homme après la femme ! Mes choses, oui ! Bête et vicelard, je prétends ! Se cabrant pour un rien, filant des ruades pour encore moins ! Quand ils ont démarré, les deux nôtres, j'ai crié à Berthy : « Passe-z'y tes bras autour du cou et appelle-le mon chéri, Grosse, autrement sinon on se ramasse un billet d'orchestre avant la fin de la croisière. » C'était un bon conseil de mari. Voilà que ces horribles trottaient à tout-va dans le sous-bois. Les sapins nous flanquaient des grandes claques dans le museau au passage. Je considère que le forestier, c'est fait pour la cueillette

1. Gageons que Bérurier veut dire tachycardie.
2. Et ici, il parle sûrement d'embonpoint.

des champignons ou pour se faire écosser le kangourou par une petite rurale, en tout cas pas pour jouer *Il y va Noé* entre les arbres. Une vraie chienlit ! J'accomplissais des rares prouesses pour pas être éjecté de ce foutu gail. Je me cramponnais à toutes ses courroies, à tous ses crins, à ses oreilles, même si tellement qu'à l'arrivée, ses étiquettes ressemblaient à deux doubles V. Enfin bon, on s'arrête, on était à la lisière de la forêt, poursuit l'excellent narrateur, je sentais plus mes noix et quant à ma Berthe, on aurait dit un sac de farine crevé. Affalée en travers de sa monture elle était ; pas Jeanne d'Arc pour un rond ! « Maintenant, on va galoper ! » supplient les autres cavaliers. J'en avais des fourmis dans le bassin à friture ! Je le sentais qu'un galop ça nous serait vachement irrémédiable, fatal à outrance. Mais le moyen de refuser ? On était en Suisse avec le panache françouze à porter haut. Heureusement, y a le patron du ranche qui dit comme ça : « D'accord, mais je veux vérifier que mes bêtes sont pas en transpiration. » Et de se mettre à leur palper l'encolure à tour de rôle pour s'assurer qu'ils avaient pas leur Rasurel détrempé, ces pauvres chéris. Du coup, l'idée géniale me vient. Rapidos je me mets à uriner sur mon dada, et comme je suis bon époux et que j'ai la vessie féconde, j'arrose du temps que j'y suis la rossinante à Berthy. Quand le bourrin's man a touché nos bestioles, il a poussé une horrible grimace. « Elles ont eu chaud ! » il s'esclame. Pas tant que moi ! « M'est avis qu'on les a un peu surmenées, je réponds. Faudrait arrêter les frais avant qu'elles contrastent une conjection pulmonaire ou une pneumonie double. Après vous seriez obligé de les entortiller jusqu'aux naseaux dans de la voite Thermogène ou de leur payer un séjour en sana. » Il m'a remercié pour ma compréhension ; comme quoi j'étais un ami des bêtes et que c'était tout le tempérament français, cette délicatesse. Les autres sont partis ventre à terre ; nous on les a laissés jouer les d'Artagnan et puis on a descendu de nos fougueux coursiers et on a rentré à pince. Par la bride, en gaffant pour qu'il vous marchasse pas sur les pinceaux, c'est la seule façon que j'admets le canasson, mes amis.

Il se tait pour s'octroyer un coup de rouge justement mérité. Laura rit un peu malgré sa douleur. Faut dire que le Mastar, quand il se met à relater ses exploits, il ferait rigoler un enterrement complet, depuis l'enfant de chœur jusqu'au de cujus.

— Pinuche, décidé-je, tu vas remettre ta leçon d'équitation à une date ultérieure, j'ai un boulot urgent pour toi.

Le récit du Gros lui ayant colmaté l'enthousiasme, il ne maugrée pas trop.

— Ecoute, Fossile, attaqué-je, des événements personnels m'obligent à partir pour Saigon en compagnie de Madame et de Béru. Seulement, pour avoir les coudées franches, je vais être obligé de faire un coup d'arnaque au Boss en lui affirmant que je vais là-bas au sujet d'une enquête qu'il vient de me confier, tu me suis ?

Il chevrote un oui désemparé et rallume son éternel mégot à l'aide d'un briquet dont l'âcre fumée noire rappelle la catastrophe de Feyzin.

— Cette enquête, Pinaud, c'est toi qui vas la conduire avec ta sagacité proverbiale. Je n'ai pas l'habitude de blouser le Vieux, mais c'est une question de vie ou de mort, tu m'as compris ?

— J'ai compris, assure l'Aimable en se grattant la bombe, croyant déjà qu'il s'agit de sa tête.

Je lui remets l'enveloppe que m'a donnée le Dabe et

qui contient un rapport circonstancié des événements que vous connaissez déjà.

— Maintenant va te changer, et mets-toi au travail, Pinaud !

— Je veux bien me mettre au travail, mais je ne peux pas me changer, répond-il, car je viens de faire porter mon costume au pressing.

CHAPITRE III

Par chance, nous trouvons de la place à l'hôtel *Troû Dû Thronc* en arrivant à Saigon. C'est rare de pouvoir se loger à cet hôtel sans réservation, car il s'agit d'un palace principalement fréquenté par les étrangers qui ne sont pas du pays. Beaucoup d'Américains, naturellement, mais aussi des Grecs, des Italiens, des Arméniens, un Russe naturalisé Mexicain, un Cubain naturalisé Russe, un Hindou, un Indien, un Indonésien, un Indochinois et un industriel d'Indianapolis.

Nos chambres, non seulement sont climatisées mais de plus elles sont contiguës, ce qui n'est pas à la portée de n'importe quelle chambre ! Pendant le voyage j'ai longuement bavardé avec Laura. Cette fille n'a pas froid aux yeux. Elle est prête à tout, et même à n'importe quoi, pour essayer de sauver son mari. J'ai bien aimé son attitude lorsqu'elle m'a vu lâcher la ferme et les chevaux. Elle n'a pas eu ces démonstrations femelles qui sont si gênantes et même si horripilantes parfois. Elle est digne et simple, cette môme. Elle a seulement murmuré en essayant d'affermir sa voix : « O.K., Antoine, *thank you.* » Un point c'est tout. Et dans l'avion, tandis qu'on échafaudait des plans à la mords-moi-le-chose-dans-lesens-de-la-longueur, elle ne s'est pas répandue en jérémiades stériles. Elle se contente d'un rôle de collaboratrice lucide et réfléchie, faisant des objections pertinentes, comme si tout cela ne la concernait pas directement.

Notre programme est le suivant : d'abord savoir où est détenu Curtis ; ensuite Laura essaiera d'obtenir une entrevue avec lui. Quant au reste, ma foi, nous improviserons en fonction des circonstances.

Dès que le boy a déposé nos bagages, Laura s'en va aux renseignements. A elle d'agir pour commencer ; sa qualité d'épouse lui permettant de défricher le terrain. Elle part pour l'état-major des « Conseillers » amerloques (en l'occurrence, les conseillers sont aussi les payeurs) tandis que nous déballons notre matériel, Sa Majesté et moi.

Le Mastar louche sur une valise de cuir noir au format inusité qui se coltine à l'aide d'une bretelle rembourrée dans l'arrondi.

— A quoi ça sert, c't ustensile ? demande mon compagnon d'un ton suspicieux, car, hormis ses poings et, à l'extrême rigueur, son parabellum, il n'est guère porté sur les accessoires.

Je fais jouer le couvercle de la mallette et un appareil de prise de son, genre Nagra, paraît.

— Tu fais des extras pour Europe I, maintenant ? bougonne le Dodu, ou bien tu voudrais profiter de notre voyage au Viêt-nam pour enregistrer le cri du crapaud à moustaches ou le chant du bengali à ondes courtes ?

— Il ne s'agit pas d'un appareil d'enregistrement, Gros.

— Il s'agit de quoi t'est-ce, en ce cas ?

— Le moment venu, ce machin-là te surprendra. Il hausse les épaules.

— Tu vas pas te mettre à chiquer les James Bonde, mec ! Jusqu'à maintenant, notre devise était : « Tout dans les pognes, rien dans les fouilles. » Mais, ajoute-t-il, bouddha boudeur, si Môssieur se lance dans le gajette bricoleur, je nous vois devenir pâlichons du résultat avant la retraite ! les mitrailleuses lourdes déguisées en épingles à cravate, les bagnoles avec un rayon de la mort embusqué dans l'allume-cigares et les sacs tyroliens qui se transforment en hélicoptères, ça va au Kursaal-Palace, quand le crémier de la grand-rue fait un samedi de gala à sa rombière, seulement dans notre labeur on n'usine pas en Gévacolor, San-A, c'est tout en jus de biceps naturel !

Il bâille, maussade comme une vieille dame au fond de sa Rolls, et extirpe de sa valise en carton véritable, entièrement réparée avec du fil de fer galvanisé, une trousse en authentique cuir imitation. L'objet est décoré d'une croix rouge qui lui confère un aspect clinique.

— Tu te prends pour un chef scout, Gros, plaisanté-je : la trousse à pharmacie, maintenant, c'est la grosse opération survie que tu entreprends là !

Il devient radieux.

— La trousse que voilà, tu peux arpenter toutes les pharmacies de Paname, tu y trouveras pas les produits qu'elle contient.

— On peut visionner ? demandé-je, intrigué.

Il consent avec orgueil. J'avise, pieusement engagés dans leurs boucles élastiques, des tubes de différents formats et aux couleurs chatoyantes. Il me les désigne, comme un collectionneur annonce ses pièces rares exposées dans ses vitrines, ou comme un champion signale ses coupes les plus durement gagnées.

— Ici, mayonnaise, fait-il ; là, concentré de tomate ; voilà de la moutarde estra-forte signée Bornibus ; et puis du poivre moulu ; du condiment à l'extracon[1] ; poudre d'ail ; échalote râpée ; feuilles de laurier ; thym et serpolet ; toute la panoplie, quoi ! Avec ça on sera jamais pris au dé pourvu. Tu comprends, dans ma street y a un restau vietnamien dont au sujet duquel je connais le taulier. Un brave mec, avec les phares en code et le sourire façon bouddha. Chez lui, la tortore serait convenable si elle serait assaisonnée autrement qu'avec de la pourriture de poissecaille. Le piment, je veux bien : ça parfume l'haleine et ça vous met des hormones dans les bijoux de famille, mais ça manque furieusement d'ail et d'oignon leur bouffe, aux ânes à mites.

Il range avec componction sa collection condimenteuse.

— Pour t'en revenir, ton Jame Bonde, jamais il se prémunira de la sorte. Le Rasurel anti-balles et le poignard au mercure rare, c'est son blaud à ton Balzac zéro, zéro, sept. Mais je voudrais le voir à table, ce gus ! Comment qu'il doit bouffer dans le lamentable ! Ces z'héros de cinoche, tu remarqueras, jamais on les voit en train de jaffer. Ça serait trop piteux comme spectacle ! J'imagine le sandwich au jambon cartonneux ou le yaourt de convalescent. Même qu'on le représenterait en train de se cogner la cloche, tu pourrais courir pour les voir s'espliquer avec une entrecôte Bercy ou un brie qui s'abandonne.

Tandis que cet apologiste du bien-bouffer commente, je vais à la fenêtre pour mater la rue Ma-Jong, populeuse en diable, et même en diable vauvert. La foule, pour user d'un cliché qui a fait ses épreuves, est grouillante. Beaucoup de militaires, car c'est jaune et ça ne

1. Pour estragon, c'est probable !

cède pas[1]. Des civils aussi, mais susceptibles de devenir militaires…

— Si on allait faire un tour ? proposé-je.

Il veut bien, Béru. Après tant d'heures d'avion, se dégourdir les cannes est une nécessité. Et puis, quand on arrive dans un pays pareil, on éprouve le besoin de le visiter un brin.

Nous voilà donc partis à l'aventure. Sa Majesté est intéressée par les Eurasiennes, encore qu'il déplore la minceur de leur taille. « Des gonzesses de poche, déplore-t-il. Juste bonnes pour le pique-nique. »

Des camions de l'armée, marqués de l'étoile blanche et des lettres U.S. Army, déferlent dans des vrombissements féroces. On a juste le temps de se jeter sur les trottoirs ombragés d'eucalyptus, de crêpiers, de macaroni arborescents, de pins complets et de pins azymes. Des gars en culotte bouffante nous abordent. Tous ont quelque chose à nous proposer : des trucs qui se bouffent, des trucs qui se fument, des trucs qui ne servent à rien mais qui sont bien jolis à regarder. L'un d'eux nous tend des espèces de longs cigares en chuchotant d'une voix confidentielle : « Fû Ma Gha », ce qui signifie, vous ne l'ignorez pas puisque vous avez lu les romans de M. Claude Farrère, « Fume, c'est du Belge ». Béru se fend de quelque monnaie afin d'empletter d'un cigare. Son côté churchillien ! Avec son barreau de chaise entre les dents, il se prend pour un businessman.

— T'as du feu ? me demande-t-il.

— J'ai oublié mon briquet dans le tiroir de ma cravate des dimanches, m'excusé-je.

1. Que mes supporters intellectuels me pardonnent mes calembours. Des supporters sont faits pour supporter, non ? Alors, qu'ils me supportent !

Lors, il s'approche d'un officier amerloque occupé à déambuler avec, accrochée à son bras, une ravissante Annamite.

— Avez-you du fire, mylorde, pléhase ? l'aborde-t-il avec son plus gracieux sourire.

L'officier n'est pas un marrant. Il refoule Sa Majesté d'une bourrade, ce qui porte le Gros à l'incandescence.

— Non mais, dis donc, le groume, s'égosille Béru, c'est pas parce que t'interprètes madame Buterfli avec c't miss safran qu'y faut te croire tout permis. Si t'as envie que je te joue le dernier acte de Diên Biên Phu, dis-je, on sera deux sur la scène du théâtre des opérations !

L'officier se plante devant Bérurier après avoir lâché sa camarade de promenade :

— *Shut up !* lui lance-t-il.

— Qu'est-ce qu'il me cause ? m'interroge la Bedaine.

— Il te dit « la ferme », traduis-je, mais écrase un peu, Gros, on n'est pas venus ici pour faire des exhibitions de boxe française, mon pote !

— Tu te figures que je vais me laisser arpenter les nougats comme si mes pieds seraient un boulevard à grande circulation ! tonne le bitonne tonifiant. Tu vas me faire le plaisir de dire à ce malotru que s'il m'aboule pas une corbeille d'escuses immédiately, j'y fais brouter la visière dc sa gapette avec les galons !

Soucieux d'éviter, à l'orée de notre délicate mission (de confiance), un incident diplomatique susceptible de rafraîchir encore les relations franco-américaines, je lâche à l'officier :

— Mon copain s'excuse, il vous demandait seulement du feu.

— Je n'aime pas que votre copain fasse le malin, répond l'officier.

J'ai jamais vu un teigneux pareil ! Peut-être qu'il

veut en installer devant sa grenouille ? Y a des bonshommes comme ça, dès qu'ils ont une nana contre la hanche, ils se croient obligés de jouer les terreurs, les intraitables.

— Qu'est-ce qu'il raconte ? s'inquiète Alexandre-Benoît.

Je risque une ultime manœuvre conciliatrice.

— Il dit qu'il n'avait pas pigé, Gros, allez viens, maintenant on les met !

Mon ami s'apprête à me suivre, car toute colère, chez cet homme généreux, n'est que feu de paille et lait renversé.

— Bon, jockey, admet-il, alors puisque maintenant il a pigé, qu'il me donne du feu, dis-y !

— Vous n'auriez pas un peu de feu ? insisté-je auprès du militaire.

Une qui se marre en loucedé, c'est la petite Vietnamienne, vu qu'elle comprend à la fois le français et l'anglais et que notre numéro à trois lui paraît irrésistible.

Pour toute réponse, l'officier saisit délicatement le cigare de Béru entre le pouce et l'index et, d'une chiquenaude, l'envoie balader sur la chaussée.

Mort de mes os ! Béru rosit, ce qui est la façon de blêmir de ce sanguin.

Il existe deux fureurs béruréennes : la chaude et la froide. La chaude est spontanée, violente et généreuse. La froide au contraire est méthodique, calculée, impitoyable. Posément, Béru retire son râtelier et le met dans sa poche, puis il arrache son feutre et me le tend.

A quoi bon user encore de ma force de dissuasion puisqu'elle s'avère inefficace ?

— Dis-y qu'il me ramasse mon cigare avant que je lui pète la bouille, grommelle-t-il.

Je traduis à l'officier. Mais l'Américain est déjà en garde. Alors Béru veut estoquer. Mais sa garde demeure et ne se rend pas.

— Fais gaffe, dis-je au Gros, il sait boxer, on le comprend tout de suite.

La jeune indigène vient se placer à ma droite, très intéressée. Quelques personnes forment le cercle (qui est en fait un cercle interalliés).

— J'ai vu, zozotte le Mastar entre ses chicots, espère un peu, je vais l'entreprendre à la Béru.

Donc, nous inscrivons le grand jeu au programme. Un autre zig comme le Mastodonte, je crois pas qu'on puisse en dégauchir un sur la planète Terre ni dans ses départements limitrophes. L'art du gros lard, c'est l'esprit d'initiative joint à une souplesse qui contraste avec son embonpoint. Son crochet ayant été magnifiquement bloqué par l'adversaire, il feint de vouloir lui en porter un autre, mais n'achève pas le mouvement amorcé et, tandis que le Ricain lève sa garde, Bérurier lui plonge dans les pattes et le culbute. L'officier se met à genoux pour se relever. Furax, je vous l'annonce ! Le Gravos le calme d'un sérieux coup de pompe dans la mâchoire. Ça résonne comme la porte d'un gros coffre-fort fermée un peu trop violemment.

Pour le coup, le gars s'affale en avant, les bras en croix, dans l'attitude soumise d'une peau de tigre transformée en descente de lit. Un arbitre qui voudrait le compter serait obligé de louer une machine à calculer I.B.M.

Lors, Bérurier ressort son dentier de sa fouille, souffle dessus pour le débarrasser des miettes de pain et de tabac collées après ses tabourets de salle à manger, me reprend son bitos et va ramasser le cigare objet de l'incident.

— On y va ? me demande-t-il.

— Allons-y ! approuvé-je en enjambant sa victime.

Je virgule mon regard enchanteur numéro 69 bis (plusieurs lignes groupées) sur la compagne de l'officier.

— Si le cœur vous en dit, mademoiselle, je lui fais, venez vous promener avec nous, car votre chevalier servant ne sera pas en état de marche avant plusieurs heures. Les souliers de mon ami sont à clous et à triple semelle et il a été avant-centre dans l'équipe de football de Saint-Locdu-le-Vieux, ce qui lui a constitué des mollets de garde républicain.

Elle me gazouille un petit rire cristallin qui fait penser à une source menue sourdant d'une anfractuosité de roche, soit au jet d'un prostatique contre l'ardoise d'une pissotière.

— Votre ami, il est pas commode ! dit la chère petite citronnette en nous emboîtant le pas.

Béru, tout en marchant, accomplit quelques puissants exercices respiratoires afin de se détortiller la rogne et la grogne. Il mâchouille son cigare en crachotant des brins de tabac. C'est comme quand un orage vient de déguiser la campagne en Wlaminck. On voit des zébrures sur sa face, des convulsions, de noirs moutonnements.

— Y a pas un burlingue de tabac dans ce patelin, que j'achetasse des alloufs ! bougonne-t-il. J'ai besoin de téter un peu d'herbe à Philippe Nicaud pour me calmer, biscotte c't' horrible m'a crispé les courroies de transmission.

Il se tait en avisant un grand brasier au milieu de la place N'gruyère Ra-Pé. Le voilà qui s'approche des flammes et qu'il leur présente son churchill.

Mon sang ne fait qu'un tour !

— Béru, n... de D... ! m'exclamé-je en pointillonnant par politesse, t'as pas honte !

— De quoi ? s'étonne le cher brave homme.

— Ce brasier, c'est un bonze en flammes !

Il se redresse, rouge de chaleur et de confusion. Effectivement, les restes à peu près calcinés d'un homme alimentent encore le brasier. Je vous jure : y a que ma Grosse Pomme cuite pour allumer son cigare à un bonze !

Mais il ne se laisse pas démonter longtemps. Une âme saine, dans un oursin, tel est Béru.

— Son sacrifice aura du moins servi à quéque chose, épitaphe-t-il en exhalant une bouffée essennecéfienne.

C'est à cet instant que débouche une jeep verdâtre de la military police. A son bord j'avise deux M.P. plus la victime de mon concasseur. L'officier américain a noué sa cravate autour de sa tête afin de se confectionner une mentonnière d'urgence. L'auto freine pile à notre hauteur et les deux M.P. rébarbatifs sautent du véhicule en décrivant des moulinets avec leurs goumis.

Béru les ignore pour se gausser de l'officier.

— Alors, tu t'es déguisé en œuf de Pâques, bébé rose ? fait-il à l'officier.

Un coup de matraque lui arrive sur la théière, vigoureux, mais amorti par son feutre. Il chancelle, s'ébroue.

— Fais gaffe à ta coquille, Gros ! m'écrie-je, il va vaser des triques, et ces gars-là ont la technique.

Le second zig de la military m'entreprend aussi sec. J'esquive, en accomplissant une cabriole, le gentil coup de goupillon qu'il est en train de me voter. Non mais, vous parlez d'une brute ! Moi, vous me connaissez ? Faut pas m'asticoter ou alors je ne réponds plus de rien. Perdant toute prudence, comme l'ont écrit avant moi des romanciers plus faits cons mais moins doués, je saute d'un bond dans la jeep et je saisis l'officier à bras-le-corps. Deuxième matraquage de mon M.P. vigoureux, brute à l'excès, mais pas sagace, il est. C'est la rotonde du blessé qui écope. V'la-homm ! Dormez, je le veux ! Bonsoir, chéri ! Cette fois il se réveillera sûrement pas avant Noël ! Il y a des jours où c'est pas votre jour. Cette fois, sa casquette valdingue. Il a la tête sur le côté, les yeux entrouverts, comme des phares de Lotus. Ses cheveux sont poivre et sel, ou alors il a beaucoup de pellicules ! Son M.P. en reste ébaubi (d'ailleurs il se nomme E. Bobby). J'en profite pour le dématraquer et lui filer son gourdin caoutchouté dans la poire. Un bath baguette de chef de requêtes ! Il ne pourra plus prononcer les consonnes labiales pendant un certain temps vu que ses lèvres ont éclaté comme deux tomates sur la scène de la Scala de Milan quand la basse noble fait une fausse note trop roturière. Et de deux ! On dira ce que vous voudrez, mais les proverbes français reposent toujours sur quelque chose. Ainsi, tenez, celui qui prétend que « jamais 203 », comme disait M. Peugeot. Eh ben, il est exact jusqu'à la moelle, mes fils. Car l'Honorable vient bel et bien d'assaisonner son antagoniste. Toujours son coup de pompe foudroyant.

Pour la seconde fois il ramasse son cigare et le tète bruyamment pour le ranimer. Ça fait comme les pneus d'une bagnole dans la neige fondue.

On perçoit des coups de sifflet, des cris ! On fait recette, les gars ! La population nous prend sûrement pour des supporters d'Hô Chi Minh soucieux de précipiter l'escalade !

Si on ne se rabat pas prompto la viandasse dans les draps on risque d'afficher « Fatalitas » avant la fin de la journée.

Je mate autour de moi : la môme de l'officier ricain, nous estimant décidément trop turbulents, a préféré s'éclipser. Nous sommes environnés de faces jaunes, plus hermétiques que le bleu de travail d'un scaphandrier.

— Allez, Béru ! Coudes au corps, mon gamin ! lâché-je.

Il est tacitement d'accord pour un quinze cents mètres. Il bondit par-dessus le bonze non ignifugé, son cher cigare entre les ratiches. Je l'imite. Mais ça virgule du branle-bas de combat dans tous les azimuts. Un futé a dû prévenir les copains américains que deux quidams agressaient leurs touristes et on organise une chasse à l'homme dans le style « Ramenez-les vivants ».

Je me dis qu'on ferait mieux de crier pouce et de s'expliquer en haut lieu. Vu notre qualité de poulagas on ne risque pas grand-chose après tout. Seulement, il suffirait que les explications s'éternisassent pour que nous ne puissions plus rien tenter pour Curt Curtis. L'image d'une Laura désespérée vient me harceler. Une question d'heures !

— Appuie, Gros ! Appuie !

Au lieu d'obtempérer, cet être au souffle inépuisable (sa cage thoracique a la capacité d'un ballon dirigeable) ralentit et chancelle. Tout de suite je me dis qu'il a peut-être fait un faux pas, qu'il s'est tordu le moyeu, ou quoi ou caisse ! Mais il est maintenant immobile, souriant et me regarde, planté au mitan du trottoir comme un bec de gaz !

— C'est crevant, me dit-il d'une voix changée, j'ai jamais vu de souris roses.

De telles paroles en un tel instant ne laissent pas de me surprendre, ainsi que me le disait naguère la vicomtesse du Baur de Lotupisse.

— Qu'est-ce que tu ramènes avec tes souris, hé, Crêpe Suzette ! Taillons-nous !

Mais Sa Majesté semble nager dans un état second. Le Gravos me désigne une haie de molinaros géants.

— Vise un peu cette nuée de souris roses ! me dit-il, béat.

Je l'examine d'un œil sagace. Pas d'erreur, il est en plein dans les vapes. S'agirait-il d'une crise de delirium ? A force d'écluser, ça n'aurait rien de surprenant. La picole, on a beau croire que ça ne tire pas à conséquence, quand on en abuse, le jour vient, irrémédiablement, où les chauves-souris font un meetinge dans votre chambre à coucher. Ce qui est surprenant, tout de même, c'est que ça se soit déclenché de cette façon brutale. Je remarque alors son cigare et je le lui tire du bec. Je le hume. Une odeur opiacée, bizarre, entêtante s'en dégage. Pas d'erreur : il s'agit d'un cigare aux stupéfiants. Ce qui l'est surtout, stupéfiant, c'est que ce genre de truc soit vendu dans la rue comme du coton à repriser ou de la réglisse de bois. Je veux bien que nous sommes en Extrême-Orient où les jardiniers cultivent l'opium comme nous autres cultivons la laitue, mais c'est surprenant, admettez ?

Comme le remue-ménage se rapproche, je pousse Béru sous un porche. On avait bien besoin de ça ! Quelle histoire ! Et pour rien : un officier grincheux, un Bérurier soupe au lait, et mordez le résultat. A peine arrivés, nous voici emmouscaillés par les Ricains. Est-ce un reflet de la politique française ?

Le Gros continue de débloquer. Maintenant c'est des femmes nues qu'il vista-visionne en se pourléchant les badigoinsses. Nous nous trouvons au fond d'un jardin fleuri et il me désigne une grande baie ouverte sur un vaste salon.

— Vise un peu, mec, bavoche-t-il. Ce cheptel, madame ! Des blanches, des jaunes, des noires… Un vrai feu d'artifesses ! Le Paradis, quoi ! Il est pas porté sur les guides, cet Anthony Eden, hein ? J'ai ligoté le guide bleu dans l'avion, le guide vert, le guide Maupassant, mais j'ai pas lu de lubrique se rapportant à cette féerie.

— Oh, écrase ! m'emporté-je, bien trop préoccupé par la battue des M.P.

A travers des branches de constipiers en fleurs, je vois déferler quelques jeeps. Ça m'étonnerait que nos camarades « conseillers » fassent trop de zèle pour nous repêcher. Néanmoins, mieux vaut attendre un brin.

Le Gros continue de débloquer.

— Cette Tonkinoise, là-bas, avec une mèche blonde, quelle splendeur, San-A. Pourquoi t'est-ce que tu ne veux pas mater puisqu'on peut se rincer la rétine à l'œil !

— Tu me cours, Gros. Si je te reprends à fumer des cigares drogués, tu auras affaire à moi !

— Cigare drogué toi-même, riposte le Mastodonte. V'là môssieur le Commissouille de mes quaires qui se prend pour le père de Foucauld depuis qu'on est au Miâm-miâm ! Vingt gonzesses carrossées par Chapron sont là qui se vautrent sur des tapis, et ce bon apôtre veut même pas lever une paupière dessus ! Ah ! Je t'ai connu plus mateur, gars ! Main preste, haleine fraîche, t'étais.

Il me semble que tout danger est écarté. On pourrait essayer de se rabattre sur notre palace, des fois que Laura s'y trouverait déjà !

— Viens, on regagne le P.C., enjoins-je à mon subordonné.

— Mince, me bouscule pas l'extase, San-A., réagit Béru. Tu vas finir par t'enflammer comme les gonzes à force d'avoir le feu au train.

Je rêve d'un grand seau plein d'eau fraîche que je pourrais vider sur la bure de mon stupéfié, histoire de lui enrayer sa petite caméra caberlote. Mais une voix plus basse qu'un coucher de soleil en Beauce retentit, qui me fait trémousser le grand zygomatique.

— Ma parole, mais c'est le beau San-Antonio soi-même !

Je volte-face dans le sens du Gulf-Stream et qu'avisé-je, appuyé sur l'emplacement de la barre d'appui absente de la baie vitrée ? Mon vieux copain Lathuile de *France-Flash*. Il a le titre de grand reporter, mais en fait c'est un gros reporter. Cent vingt kilos, un mètre soixante, des cheveux qui lui descendent aux sourcils, un gros pif couvert de poils et de pustules, des yeux déposés au bord extrême de ses paupières comme des pêches sur des feuilles de vigne, tel est, tracé à grands traits, comme l'écrirait mon excellent camarade Balzac, le personnage qui fait à *France-Flash* la pluie et le Bottin.

Pour l'instant je m'abstiendrai de vous décrire son costume, étant donné qu'il n'en porte pas, non plus que de vous préciser la couleur de sa chemise puisqu'il en est dépourvu, et encore moins de vous indiquer la marque de son slip, vu qu'il l'a posé. Pour tout vous dire et ne rien vous cacher, Lathuile est beaucoup plus nu qu'au jour de sa naissance, puisqu'il l'est autant, mais sur une plus grande surface.

— Mince, béé-je, qu'est-ce que tu fiches ici ?

— Un grand reportage sur les sanglants combats qui inquiètent l'opinion mondiale, fait-il sans emphase.

— Et c'est un lance-flammes qui t'a déloqué pareillement ?

— Non : une de ces gentilles dames, fait Lathuile en dégageant la baie de son considérable volume. On m'avait parlé des Eurasiennes avec tant de chaleur que j'ai demandé à venir ici. Voilà trois jours que j'expérimente le cheptel de Maman Nlatron-Che Pâ, et je m'apprête à décerner la palme d'or à sa rosière la plus méritante ; si tu veux assister aux fêtes du couronnement, rapplique.

Je cède à l'invite et je m'aperçois que le mirage supposé de Béru n'en était pas. Il y a bel et bien (belles et bien) dans le salon une flopée de chouettes pépées toutes plus nues les unes que les autres.

Nous franchissons la baie, le Gravos et moi, et serrons la main de Lathuile avec conviction.

— Ça m'aurait étonné que tu n'aies pas l'adresse de Maman Nlatron-Che Pâ, complimente le journaliste. C'est la plus belle taule d'abattage de tout l'Extrême-Orient ! Admire un peu ces petites crémières, San-Antonio !

J'admire. Un essaim de seins de saintes nitouches nous assaille, nous cerne, nous braque. Faut se soumettre ou se démettre, se rendre ! Lathuile joue les maîtres de maison. Il guide notre choix, manage nos forces. Bref, on oublie pour un temps la mission privée que je nous suis confiée afin de plonger à corps éperdu dans des délices qui méritent vraiment d'être mises au pluriel et au féminin. Une heure de séance ! C'est beau, Saigon, croyez-moi ! Et les pensionnaires de Maman Nlatron-Che Pâ ont dû avoir de sérieux entretiens privés avec leur maman avant de prendre du service dans cette turne. Vous direz pas, mais c'est formide le hasard qui nous amène dans cette très hospitalière maison ! Après qu'on a poussé sa goualante, on nous offre du thé au jasmin. Béru réclame du beaujolais vu que l'eau chaude, il ne s'en sert que pour faire mûrir des panaris, et on lui en donne.

Il a raison, Lathuile, c'est bien la crèche la plus sensationnelle d'Extrême-Orient. Les exercices corporels nous ayant quelque peu épuisés, nous nous mettons à deviser de conserve, vautrés sur un sofa profond comme un proverbe chinois.

— Et toi ? me questionne le reporter en s'épongeant le front contre les seins d'une jouvencelle.

— Quoi, moi ?

— C'est pas en touriste que tu es venu à Saigon, je suppose ?

— En effet, je suis mandaté par le service des poids et mesures pour mesurer le 17e parallèle.

— Toujours l'esprit de l'escalier, à ce que je constate ?

— De plus en plus, y a que ça qui paie, mon vieux Rouletabille ! Quand tu veux faire dans le spirituel, tu es seul à comprendre tes propres astuces. T'as dû t'en apercevoir depuis le temps que tu commets tes insanités ?

Il hausse les épaules.

— Dis, copain, on a toujours marché la main dans la main tous les deux, alors te dissimule pas derrière un nuage artificiel de couenneries. Aboule un peu les raisons de ta présence à Saigon !

— Si je te le disais, tu ne me croirais pas, assuré-je fort gravement.

— J'ouis tout de même…

— Stupes ! Un réseau de trafiquants vient de jeter l'émoi à Paname et on m'a chargé d'en trouver la source.

— Ici, qu'est-ce que tu peux fiche, t'es plus en France ?

— Pas besoin d'être en France pour repérer des malfrats, Lathuile ! Et pour toi, ça usine, oui ? A part les lupanars du patelin, tu vas te promener un peu sur les champs de bataille ou si tu écris tes papiers de chic, comme d'habitude ?

— Trop de moustiques dans les rizières, soupire-t-il, j'ai beau me coller du Pipiol, dès que je vais plus loin que Cholon j'en ai pour deux jours à me gratter. C'est pas marrant, je te jure, je préfère prendre mes tuyaux à l'état-major où je compte quelques sympathies.

Ça me fait dresser le lobe. Je bâille pour cacher ma joie et je demande :

— Ils ont l'air de se piquer au jeu, les Ricains, non ?

— Tu parles. Leur rêve, c'est de filer leur camelote atomique sur la Chine. Ici on n'est que dans l'antichambre de la vraie guerre, laquelle éclatera un peu plus tard et un peu plus loin.

— Tu estimes qu'ils le feront ?

— Ils dormiront pas tranquilles avant. N'oublie pas que, comme le fait remarquer mon excellente consœur Hélène Tournaire, jusqu'ici il n'y a qu'eux qui aient employé la force nucléaire contre un peuple ; y a que la première bombe qui coûte !

— Oui, fais-je semblant de méditer, ils ne plaisantent pas. Et côté troupe, ça suit ?

— A bloc. Faut dire qu'on les conditionne avant de les expédier ici.

— Pas de défections ? Le communisme, c'est comme la rougeole : ça s'attrape, après tout.

— On leur file trop les jetons avec l'épouvantail rouge pour qu'ils lui tombent dans les bras, affirme Lathuile.

Je voudrais bien l'amener à parler de Curtis. Des fois qu'il aurait des tuyaux pour moi ?

Seulement, avec une fine mouche comme Lathuile (mouche à miel, certes, mais fine) il s'agit d'avancer avec précaution afin de ne pas lui mettre le prépuce à l'oreille, comme disait Jeanne d'Arc. C'est un zig qui aurait vite fait de me dépister les idées de derrière la tronche. Vous parlez : un gars capable de vous décrire minute par minute la mort de Jean XXIII sans quitter son appartement de La Varenne, ou de vous faire vivre la visite du Général à Pékin alors qu'ils n'y sont allés ni l'un ni l'autre, c'est un futé de première dimension !

— Il n'y a pas de transfuges ? je questionne nonchalamment en titillant du bout de l'index la raie médiane d'une coquine Cambodgienne.

— Rare, rétorque l'Albert Londres de *France-Flash*. Et lorsque ça se produit, d'aventure, les boy-scouts à Johnson ne leur font pas de cadeaux ! Tiens, après-demain morning, aux aurores, on flingue un capitaine qui s'entendait trop bien avec les archers d'Hô Chi Minh.

— Oh, dis donc, bâillé-je, ils n'y vont pas avec le dos de la cuillère.

— Non plus qu'avec la crosse du flingue. L'officier en question va être passé par les armes dans la cour du cantonnement devant le front des troupes. Même que les correspondants de guerre étrangers, dont moi, sont invités à la cérémonie, de manière à pouvoir rendre compte aux autres nations de l'esprit qui règne dans les forces ricaines.

— Décidément, y a de la distraction, ici, rigolé-je, en ignorant de toutes mes forces le vilain pincement qui me tord la pompe aspirante et refoulante.

— Et c'est varié, plaisante Lathuile. Note bien que je pense décliner l'invitation.

— T'as l'âme trop sensible, petite nature plumitive ?

— Non, mais faut se lever trop tôt. Six heures du matin, ça va quand on est condamné ou bourreau, mais lorsqu'on interprète le rôle obscur de témoin, c'est déraisonnable.

Il faut que je m'offre plusieurs autres questions, seulement, pour la raison précisée à l'étage au-dessus, j'hésite.

Heureusement, Dieu a créé le monde en six jours ; il

s'est reposé le septième et a réalisé Bérurier le huitième, après sa journée de repos, car c'était vraiment un gros boulot ! Faut admettre qu'Il l'a réussi ! Béru, *a priori*, c'est un butor, un analphabète, un xénophobe, un primaire, un primate, un raciste, un nationaliste, un boulimique, un cogneur, un véhément, un intraitable, un irritant, un fonceur, un tourmenteur, un briseur, un alcoolique, un sanguin, un consanguin, un adultérin, un irrévérencieux, un célinien. Il ne connaît ni le latin, ni l'anglais, ni aucune autre langue que le béruréen vivant. Il ne sait pas qui est Claudel ou Sartre, ou Verlaine. Il n'apprécie pas la peinture. Il n'aime, en matière de musique, que *Sambre et Meuse* et *Elle me fait pouët-pouët*, un peu la *Marseillaise* aussi, pour dire, le 14 juillet, quand Paris crie Embrasse-moi ! Mais malgré cette formidable absence de qualités et cette non moins formidable accumulation de défauts, Alexandre-Benoît est un homme précieux. Pas intelligent, mais madré ! Pas analytique, mais opportuniste ! Pas philosophe, mais intuitif.

Ses vertus commencent où les miennes s'enlisent. Béru, c'est le complément très naturel. Le finisseur. Il supplée quand il le faut. Il a la générosité des autodidactes, leur volonté farouche, leur soif de se dépasser et de dépasser le peloton.

Je le croyais enfoui dans l'arrière-train d'une forte Thaïlandaise délicieusement prénommée Tâlang Hou La Miennh, en fait et nonobstant cette position de repli, il écoutait tout, le bougre. Il enregistrait la converse en sachant pertinemment où je voulais en venir. Mon silence est pour sa pomme une invite. Aussi est-ce d'un ton magnifique d'innocence qu'il demande :

— Où que c'est-y qu'on le poteaute, vot' bonhomme, M'sieur Lathuile ? Ça me déplairait pas de voir scrafer un officier, j' sus anti-militariste.

Lathuile libère une quinte de toux et se dépêche de boire son thé, ce qui lui vaut de la part de Maman Nlatron-Che Pâ, la sous-maîtresse de séants[1] la réplique fameuse qui devait immortaliser M. Armand Salacrou :

— Mon thé t'a-t-il ôté ta toux ?

Fière personne, cette maman Nlatron-Che Pâ ! Pas du tout le genre sous-mactée occidentale. C'est une dame mince et distinguée, vêtue à l'européenne. Elle parle couramment soixante-seize langues, dont la langue fourrée de l'Alsacienne et on l'a surnommée la reine de la pipe, tant est grande sa dextérité dans l'art délicat de préparer l'opium.

— Il est marrant, ton Sancho Pança, jubile Lathuile. Une nature, dans son genre, je me trompe ?

— Tu l'as dit : une nature, et d'élite encore ! renchéris-je.

— Il est tellement authentique qu'il fait pas vrai, reprend ce fin observateur. Il te fait plus d'usage qu'un saint-bernard ou quoi ?

— Il bouffe davantage, mais il casse toutes les grandes gueules qui le chambrent, préviens-je. Alors le chahute pas trop, Lathuile, because tu risquerais de tomber du toit.

Le regard blanchâtre d'Alexandre-Benoît confirme le bien-fondé de cet avertissement, aussi, pas Bayard pour un flèche, le noircisseur de colonnes sort en vitesse son train d'atterrissage.

1. Vous voyez, eh bien, quand je fais un calembour comme celui-là, je me pardonne les autres. A mon avis, les gens n'osent plus faire de calembours et ils ont tort. Faut pas avoir peur de jouer avec sa langue maternelle, les gars. Elle est faite aussi pour ça. C'est marrant de jongler avec les similitudes de sons et avec les équivoques.

— Il est trop spirituel pour ne pas apprécier une amicale plaisanterie, assure-t-il ; vous me demandiez donc, beau jeune homme, où l'on allait fusiller l'officier amerloque en question ?

— Exaquete ! dit sombrement le Gros, pas tellement amadoué par l'acte de contrition du journaliste.

— Je vous l'ai dit : dans la cour du camp américain.

— Et où c'est qu'on le détient ?

A mon avis, voilà une question de trop. Lorsque nous aurons essayé quelque chose pour Curtis, Lathuile se souviendra de ce petit interrogatoire.

— Au camp, mon ami ! Voudriez-vous écrire un reportage sur cette brebis galeuse ?

Bérurier se fend d'un rire plus gras que les caractères d'une affiche annonçant la mobilisation générale.

— Je manie mieux la savate que le stylo, M'sieur Lathuile, affirme l'aimable compère.

Je remets mes fringues, en silence.

— T'as l'air morose ? remarque Lathuile, ne me dis pas que tu es déçu par cette accueillante demeure ?

— Au contraire, j'ai de la peine à m'en arracher, assuré-je ; si j'étais riche, j'y passerais mes vacances ! J'espère qu'on se reverra dans la contrée, tu repars quand ?

— D'ici une huitaine, je ne suis pas pressé.

— A propos, dans quel hôtel es-tu descendu ?

— Au *Troû Dû Thronc*, comme tous les gens de l'élite.

— Et tu y retournes maintenant ?

— Yes, mon flic, et ce pour trois raisons, dont la première est qu'il est l'heure de la bouffe, la seconde que j'ai des forces à renouveler et la troisième que le *Troû Dû Thronc* est le seul endroit du Viêt-nam où l'on bouffe des grillades aussi succulentes qu'à Paris !

— Tu as une bagnole ?

— Une Cadillac 66 avec un chauffeur tellement galonné que les généraux le saluent au passage ! Dans la presse, c'est pas comme dans la poulaillerie, on ne mégote pas sur les notes de Frey.

— Alors tu nous rentres au bercail ?

— Avec tous les honneurs dus à vos rangs prestigieux.

Il baisse la voix et me demande d'une voix inquiète :

— Rassure-moi, San-Antonio : il n'a pas de puces, ton saint-bernard ?

— Non, fais-je, il n'a que des morpions ; vu l'endroit où nous venons de nous rencontrer, tu ne tarderas pas à en avoir la preuve !

CHAPITRE IV

— Vous m'offrez un bourbon au bar, manière de me rembourser votre part de transport ? demande Lathuile.

— Vas-y avec Béru, dis-je, moi j'ai quelques coups de turlu à donner, mais je vous rejoindrai avant que vous rouliez sous la table.

Là-dessus, je plante les deux larrons, tout heureux et tout aise d'avoir pu rallier l'hôtel sans risquer de tomber sur une patrouille trop ardente.

Laura est de retour dans son appartement. Elle a beaucoup pleuré, ça se voit à ses paupières rouges et tuméfiées par le chagrin.

— Ça n'a pas marché ? lui demandé-je.

Elle est trop émue pour parler. Bon Dieu, ce que la douleur lui va bien ! s'exclamerait un sadique. Ce qu'on aimerait la consoler... Seulement vous savez ce que c'est, hein ? En tout cas, si vous ne savez pas, moi je sais. J'en ai consolé des femmes, misère de ma vie ! Des jeunes, des moins jeunes, des jolies ; oui : surtout des jolies. On commence par leur essuyer les larmes avec sa pochette en leur susurrant des bonnes paroles bien miséricordieuses. Et puis, comme leurs sanglots les étouffent, on les prend dans ses bras en balbutiant des

« Allons, allons, mon petit, du cran ». Ensuite on y va de sa larmouille, sensible comme on est. Bref, au bout de dix minutes de consolation, vous vous retrouvez à folâtrer dans un plumard avec l'éplorée, à lui démontrer comment et par où, sans même vous rappeler la cause du chagrin qui a motivé cette prise de position horizontale.

Rien de plus traître que la compassion lorsqu'elle s'exerce sur une personne d'un sexe entièrement différent du vôtre (ou même sur une personne du même genre si vous êtes de la jaquette fendue ou du gigot à l'ail).

Mais cette fois, pas de ça, Lisette ! Je l'aurais à la caille de culbuter cette ravissante, deux jours avant que son bonhomme – en l'occurrence un bon copain – se fasse passerparlésarmer (verbe du premier groupe, se conjugue comme aimer : je te passeparlésarme, tu me passeparlésarmes, etc.).

— J'ai obtenu une audience du général D. Profundys, raconte-t-elle. Il m'a assez bien reçue, mais a refusé de m'accorder une ultime entrevue avec Curt. « Tout ce que je peux, c'est lui faire communiquer une lettre de vous avant son exécution, m'a-t-il dit ; vous pourrez la remettre à mon aide de camp, je vais donner des instructions. »

Je ne peux tout de même pas me retenir de lui caresser la joue. Mais en tout bien tout honneur, les gars ; surtout n'allez pas imaginer des choses. A la grand frère, parole !

— Pas de panique, Laura, lui dis-je. Il ne s'agit pas de flancher maintenant. Quitte à y laisser mes os, je vous jure que je le tirerai de là, votre idiot de Curt.

Elle sourit à travers ses larmes. Ça fait comme une déchirure dans les nuages, quand le temps est au gris et que le soleil veut montrer le bout de son noze. C'est pas original comme comparaison, mais ça exprime bien ce que je veux dire. Faut savoir sacrifier au conventionnel à l'occasion. Ne serait-ce que pour rassurer les confrères. Si San-Antonio ne faisait que du San-Antonio, ils finiraient par en prendre ombrage, fatalement. Ils me réputeraient intolérable, pestiféré, déliquescent, littératurcide. Mon œuvre au pilon, et moi au pilori, ils finiraient par exiger. En s'unissant, tous, en relançant la Cadémie, le Conseil d'Etretat, la Faculté d'en pleurer, l'Hôtel Maquignon, le Va tiquant ! Ils arriveraient, les bougres, à le réputer insalubre, San-A. A le cataloguer aphteux, affreux, afflictif, affligeant, aphrodisiaque, à foutre en l'air ! Ils l'obtiendraient, mon interdiction de séjour chez les libraires, les carnes ! Y a des vilaines rapporteuses qui m'ont prévenu : on me surveille la prose, on fait attention si je vais bien au vocabulaire tous les matins, et si ma syntaxe a une belle couleur, une bonne consistance. On veut bien me tolérer des élucubrations, comme on tolère que bébé cogne sur le clavier du piano, mais juste un moment parce que ça fait mal au tympan des grandes personnes. Ici-bas, la sagesse est dans la convention, la noblesse dans le classicisme, la raison dans la routine, l'honorabilité dans le déjà vu. Alors, moi, pas bête, vous comprenez, je me hâte de clicher un peu, de rouler sur les rails posés sur les zaînés pour démontrer que je suis bien sage malgré mes vagabondages, qu'ils ne tirent pas à conséquence, que c'est seulement un peu de diarrhée, que ça va passer après un petit gorgeon d'élixir parégorique.

Faut rentrer dans le rang tout de suite après la pirouette. Se caméléoner d'urgence. S'appeler Durand. S'habiller de gris. Jurer qu'on n'en est pas ! Rester sur les rives du Littré. Crier Vive ! Admettre la sainte paire de notre Saint-Père ! Elever ses enfants dans la religion catholique ! Payer les taxes, mais ne pas chercher à en imposer ! Et surtout, ne pas foutre des points d'exclamation au bout de chaque phrase comme je le fais, mes fils. Le point d'exclamation attire trop l'attention, comme tout ce qui est debout. Il courbe pas l'échine comme l'accent circonflexe, il n'est pas tronçonné comme le point de suspension, il ne se met pas à plat ventre comme le tiret, il ne remue pas la queue comme le point-virgule, il ne fait pas de la fumée comme le point d'interrogation, il n'est pas chiure de mouche comme le point t'à la ligne. Lui, c'est le de Gaulle de la ponctuation. La vigie ! Le ténor. Son nom l'indique : il s'exclame ! Il clame ! Il proclame ! Il déclame ! Il réclame ! Il véhémente ! Il flambergeauvente ! Il épouvante ! Je t'aime, suivi d'un point d'exclamation ou de points de suspension n'a pas la même sincérité, ni la même signification. On ne peut pas dire merde ou vive la France sans point d'exclamation. Que ferait un commandant de bateau au cours d'un naufrage, s'il n'avait pas de points d'exclamation à mettre au bout de « Les chaloupes à la mer ! » ?

Je vais vous dire ; je le veux comme épitaphe. Sur ma tombe, tout seul, mais gros comme ça : un point d'exclamation, je vous en supplie. Pas mon blaze, ni mes dates-parenthèses. A quoi bon ? Pas de croix non plus, Dieu me reconnaîtra sans l'emblème de sa guillotine. Simplement, pour ma satisfaction posthume, ce signe typographique, dressé comme un bâton d'agent au milieu de la foule. D'ailleurs n'est-il pas employé sur certains panneaux de signalisation du code routier ?

Laura secoue sa belle tête éplorée.

— Oh ! Tony, me dit-elle, que pouvez-vous espérer ? Tout à l'heure, au sein de ce formidable camp, cerné par des barbelés électrifiés et flanqué de miradors, je sentais bien que la partie était perdue ! Vous savez ce qu'est la force américaine ? L'organisation américaine ? Une véritable armada, Tony ! Et mon Curt est perdu dans une cellule, au cœur de ces forces en perpétuel état d'alerte. A cause des attentats qui se multiplient, nos gars sont sur le qui-vive. Un commando armé jusqu'aux dents ne parviendrait pas à le tirer de là !

Elle se jette en hoquetant au travers du lit. Sa jupe s'est relevée et moi, humide, j'arrive pas à détacher mon œil salingue de ces admirables cuisses. J'en ai le cervelet qui yoyote, les cellules grises qui bredouillent, le système nervouzeux qui tire une bissectrice.

J'y vais de la phrase fatidique : « Allons, allons, mon petit : du cran ! »

Je m'assieds auprès d'elle sur le lit. Je caresse ses cheveux soyeux. Mon petit lutin intérieur se fout dans une rogne noire. Il me traite d'un tas de noms intraduisibles en vietnamien. Il me dit que je suis le plus beau goret que la terre ait porté ; que les pourceaux de cette bassesse sont juste bons à faire du hachis et du gâchis et que, la prochaine fois que je me rencontrerai devant une glace, je n'aurai plus que la ressource de me glavioter à la vitrine.

Il me dit tout ça, le petit lutin bonimenteur et objecteur, et comme il a raison ! Seulement moi, vous me connaissez ? Dans ces moments-là, je suis sourdingue aux voix grincheuses de la raison. Je n'ai plus l'âge d'oraison. Y a plus que l'animal, la bébête qui monte, qui monte, qui monte !

— Laura, ma petite fille, je débloque d'une voix plus épaisse que de la pâte à beignets, vous allez voir !

Ce qu'elle risque de voir, cette pauvre chérie, c'est le petit voltigeur sans échelle du monsieur ! Je contrôle plus mes sens, les gars ! C'est terrible d'être commak, mais pas moyen de lutter : une vraie maladie de peau ! Je voudrais m'empêcher, je peux pas. On peut se retenir de manger, de boire, de payer ses impôts, de dire bonjour à sa concierge, de jouer aux dominos, de voter oui, d'aller aux vêpres, de changer de chemise ou de prêter mille balles à un copain, mais il y a quatre choses que l'homme ne peut absolument pas s'empêcher de faire, c'est de dormir quand il a sommeil, de tousser quand il fait de la trachéite, de se ruer aux Bogues quand il a forcé sur le melon et de se farcir une nana lorsque la rage occulte lui prend.

Tout ça pour vous en revenir à mon angoissant problème du moment. En moi c'est l'explosion, le feu d'artifice, le chavirement.

— Allons, Laura, ma petite Laura, ne pleurez plus, je vous en conjure… Je… je…

Je n'en dis pas plus long car c'est très impoli de parler la bouche pleine. Moi, vous me connaissez ? La correction avant toute chose. L'homme moderne manque de plus en plus de galanterie. La muflerie est devenue une attitude, les mecs, un parti pris ! Faut pas. Réagissez !

En tout cas Laura ne pleure plus. On ne peut pas faire deux choses à la fois : être moine et réussir une mayonnaise !

Seigneur Jésus, ce que c'est bon ! Quelle ardeur ! Quelle fougue ! Je me dis que jamais j'arriverai à me rassasier ; qu'il faudra l'emporter pour la finir à la maison…

Elle s'abandonne, dents serrées, yeux clos, narines pincées. Et moi, vous continuez de me connaître, hein ? Vous savez jusqu'où va ma conscience pour peu que je lui donne un coup d'épaule. Je me dis que, tant qu'à faire de commettre une sagouinerie, mieux vaut bien la faire. Un péché réussi est préférable à une bonne action ratée. Comme le disait le Masque de Fer : « Entre deux jumeaux il faut choisir le moindre. »

Ah que c'est beau la naturel ! Je pose dix et je retiens rien ! Le Festival de Cannes à nous seuls, mes amis ! Le 14 juillet, plus le 4 juillet (jour de l'Independance Day). Des lampions partout !

Et tout en interprétant mon numéro favori, mes pensées continuent de sourdre. Elles suintent, elles chuintent, elles susurrent, elles me disent que dans pas longtemps je vais avoir le moral comme une limande avariée. Enfin, bref, du temps passe, nous rapprochant un peu de notre mort. Je conclus. Laura aussi. Nous confrontons nos vues et tombons d'accord.

Je n'ose plus la regarder. Que doit-elle penser de moi ! Quc doit-elle penser que je pense d'elle ! Instant critique, aigu, grinçant, usant, dévastant. Elle soupire langoureusement et profère des paroles qui sont les dernières que j'escomptais.

— Merci, Tony, vous êtes un amour, j'en avais tellement besoin, ça m'a calmé les nerfs !

Je la regarde, n'en croyant ni mes ouïes, ni mes yeux. Je contemple une jeune femme relaxe, presque souriante. Elle vient de s'envoyer in the sky comme on prend une douche. Pour elle, ce qui vient de se passer est un simple exercice hygiénique. Quelque chose qui ressemble à une séance de sauna.

Allons, n'est-ce pas mieux ainsi ? Voilà unc saine conception de la vie. Le sentiment est une chose, le radada en est une autre. Elle se tord les mains en songeant à son mari qu'on va fusiller, mais elle se cogne son ami aussi simplement qu'un verre d'orangeade. Pourquoi *not* ?

— Venez, mon petit cœur, dis-je brusquement car ce moment d'abandon m'a donné le goût de l'action.

— Où m'emmenez-vous, Tony ?

— C'est vous qui allez m'emmener. Je voudrais

repérer le camp américain, car tout à l'heure, Béru et moi avons été accaparés par d'autres tâches.

Dites, ça me réussit le Viêt-nam, on dirait. Voilà trois plombes que j'ai débarqué et je me suis déjà offert de sérieuses parties d'extase.

*
* *

Le taxi nous stoppe non loin de l'entrée du camp. Celui-ci est situé entre le quartier Ho-Kel-kon et la place Hono-Mathô-Pé sur une vaste étendue bordée par le fleuve d'une part et la rizière de l'autre. Les U.S. men ont placé des barrières de bambou contre les fils électrifiés, de manière à boucher la vue. Effectivement, rien ne manque pour assurer la sécurité du camp : ni miradors, ni bazookas, ni mitrailleuses et surtout pas les factionnaires.

Nous nous mettons à contourner le siège des troupes ricaines, en marchant bras dessus, bras dessous, comme un couple d'amoureux soucieux de faire un peu de footing entre deux parties de scoubidou.

— Vous voyez bien qu'il n'y a rien à espérer ! lamente Laura après que nous ayons parcouru le périmètre complet.

Au lieu de lui répondre, je mate les environs, dos tourné au camp. Au nord il y a un immeuble lépreux au fronton duquel clignote l'enseigne au néon d'un hôtel. A l'ouest se trouvent des docks bordant le fleuve, et au sud s'érigent les ruines de l'ancienne préfecture de police, le palais Houédonk-Pâpon, qui fut dynamité une première fois par les Nord-Vietnamiens le jour anniversaire du poisson rouge à vessie natatoire incorporée, puis, une seconde fois pour la fête du Têt Deu-Kon.

— Venez, Laura !

— Où ?

— A l'hôtel !

Elle fronce les sourcils.

— Oh ! Tony, vous êtes insatiable ! Ne croyez-vous pas que…

— Il ne s'agit pas de ce que vous croyez, ma chère amie.

Je frappe sur l'étui noir de mon appareil mystérieux qui intrigua si fort Béru, et dont j'ai eu soin de me munir à toutes fins utiles, pour le cas où il me deviendrait utile, ce qui est toujours une possibilité dont il faut tenir compte lorsqu'on… Et puis, flûte ! Je voulais essayer de faire une longue phrase, style Académie française, avec des ramifications, des correspondances, mais décidément c'est pas mon genre. La littérature américaine nous a apporté la phrase courte et percutante, ce qui fait que le style s'est modifié. Messieurs les ciseleurs de fresques ont remisé leurs paragraphes accordéoneux. Le lecteur moderne n'a plus le temps de se farcir des longues tartines à changement de vitesse. On assiste à la mort du point-virgule, les gars. Il s'atrophie, redevient virgule. Un sujet, un verbe, un complément à la rigueur, et allez, roulez ! Notez que le complément devient une denrée rarissime, un luxe. Je vous prends une phrase moderne : « La nuit tombait. » Je connais une gonflée de nouveaux romanciers qui s'en contentent. Ils s'en branlent l'énergumène sur tige télescopique de la façon dont elle choit, la nuit. « La nuit tombait », pas besoin de préciser si c'est rapidos ou mollement, dans des brumes ou du soleil apothéoseux. Chacun imagine selon ses goûts. Le vrai complément, de nos jours, en littérature, c'est le lecteur. Les bouquins deviennent des albums à colorier. Bientôt ça va être réglementé sévère, la lecture. Faudra passer des tests, obtenir des permis pour pouvoir s'y adonner. Et encore y aura des catégories. Vous aurez votre permis de lecture-touriste, ou votre permis de lecture poids lourd. Tout ça je le prédis, vous verrez !

Qu'est-ce que je disais ? Vous me faites digresser, c'est pas honnête. Ah oui : Laura et mézigue, à l'hôtel *Tû Trich Kang Tû Jhou*, une boîte d'avant-dernier ordre.

On pénètre dans une espèce de salle commune, bourrée de matafs de la *Navy*, blancs comme des peintures en bâtiment, mais beaucoup plus bourrés. Je sais pas si c'est pour réagir contre l'immaculé de leur uniforme, mais ils sont toujours noirs, les matafs amerloques. A terre, il leur faudrait un radar tout comme à bord. J'ai ai vu des bouilles de dégénérés dans ma vie bourlingueuse, mais jamais autant que dans l'*U.S. Navy*. Des microcéphales, des macrocéphales, des brachycéphales, des dolichocéphales, une vraie collection, je vous jure ! Chez nous, des mecs avec des tronches pareilles, on les colle dans des bocaux ; les Ricains, eux, ils les flanquent dans la marine où on les fait fonctionner au sifflet, comme des clébards et où toujours comme des clébards, on leur file des coups de pompe dans le derche.

Ces gentilshommes des mers font un foin du diable dans le bistrot. Ils sont alignés le long du comptoir, comme ils s'aligneront un peu plus tard devant un mur afin de souscrire à l'opération inverse. La même attitude pour boire que pour pisser, avouez que c'est triste ! Derrière le long rade laqué, j'avise deux singes. Le premier est attaché au mur par une chaînette, le second sert de la bière aux clients. Le premier est ouistiti de son état, et le second cabaretier ; c'est en cela qu'ils se différencient. A part ça, ils se ressemblent comme deux frères qui se ressemblent, sauf peut-être que le ouistiti est un peu moins poilu que le bistrotier.

C'est rare, un Asiatique velu, non ? Moi, tous les Jaunes que j'ai rencontrés étaient imberbes comme des pendules Louis XV. Dans tout ce bouzin, je me sens pas bêcheur, avec ma ravissante Laura au bras. Les gagas de la marine se mettent à la siffler, à la quoliber, à lui faire des gestes honteux qui ne font pas étinceler mon standing. Seulement faut savoir si je vais me mettre sérieusement au turf, ou bien engager une nouvelle guerre au sud du 17e parallèle (d'infanterie de marine).

Je m'approche du singe-taulier et je lui demande s'il pourrait, moyennant finances, nous louer une piaule de son palace, de préférence à l'étage le plus élevé.

Il me considère avec cette attention soutenue, qui rejoint presque la fascination qu'ont les messieurs devant une Ferrari et les dames devant un miroir. Puis il décide que je suis un client possible et me demande pour quelle durée je souhaite devenir son locataire.

Je lui réponds, l'honneur de Laura dût-il en souffrir, qu'une petite heure sera grandement suffisante. En vertu de quoi il me donne une clé et le conseil de prendre garde au tapis de l'escalier qui est décloué entre le second et le troisième étage.

— Je ne comprends toujours pas, me dit Laura lorsque j'ai refermé la porte de la chambre.

— Je vais vous expliquer, ou plutôt vous démontrer, mon petit.

Je chique au désinvolte, histoire d'effacer mes suprêmes remords. La piaule est navrante, propre à inspirer des comédiens qui répéteraient *Huis clos*. Un lit de fer rouillé, avachi, recouvert d'une étoffe suspecte, souillée, honteuse et pleine de miettes à ressorts. Une chaise en bambou. Un placard d'osier, planté de guingois entre la porte et le lit. Vous mordez le topo ? C'est pas l'endroit idéal pour se remettre d'une dépression nerveuse.

J'assure le loquet et j'entreprends de déballer mon

matériel. J'ai l'air du petit plombier venu réparer la fuite de madame. Je sors de ma mallette une espèce de pistolet auquel s'ajuste une lunette de visée et, parallèlement à la lunette, un micro effilé. Un fil souple relie la crosse de ce faux pistolet à un potentiomètre à alvéoles vermifugés, ce qui lui assure une induction sous-calibrée et un prédéterminisme constant. Je branchimouille le foutrazeux ostentatoire et je coiffe un casque d'écoute.

— Mais que faites-vous donc ? s'exclame Laura qui suit attentivement mes faits et gestes.

Au lieu de lui répondre, je vais à la croisée et je m'embusque derrière le rideau haillonneux pour pouvoir braquer mon appareil en direction du camp sans me faire repérer. Grâce à la lunette, je parcours de l'œil chaque détail des bâtiments. Je détecte le cantonnement, les entrepôts, les garages, les burlingues, la coopérative, le bloc sanitaire, la salle de projection, la piscine couverte, le karting, la buanderie, le gymnase, la chapelle, le terrain de baise-bol, le stand de tir, la piste artificielle de ski nautique, la cantine, la distillerie de Coca-Cola, la manufacture d'aïce-crimes, la salle de lecture où sont réunies toutes les grandes publications qui forgent l'intellect américain (*Play boy*, *Mickey*, *Men only*, etc.), le Luna-Park, l'abri anti-atomique (des fois que les Chinetoques seraient en avance sur l'horaire), la salle des cartes (tarots, canasta, etc.), le chenil, la banque, la succursale de la General Motors, celle de Ford, le magasin à gadgets et enfin la prison. Celle-ci se trouve à l'écart du camp. Elle forme une enclave car elle est isolée par un très haut grillage hérissé de pics aussi pointus que celui de la Mirandole. Cette précaution pour compenser le fait que le bâtiment réservé à la détention est de plain-pied. C'est maintenant que mon appareil va vraiment remplir son rôle. Je vise la première fenêtre du bâtiment et j'appuie sur la gâchette du pistolet.

Immédiatement je perçois un bruit de voix. Deux Amerloques discutent. « J'aime autant être ici que dans la brousse, fait la première voix, au moins on est peinard... — Plus que deux jours à tirer, hélas », répond en soupirant la seconde...

Je passe sur la seconde fenêtre. Etant donné la chaleur, toutes sont ouvertes, mais seraient-elles fermées que je percevrais aussi parfaitement ce qui se dit à l'intérieur du local[1].

Ma jumelle d'approche cerne le carré central formé par deux barreaux verticaux qui croisent deux barreaux horizontaux. J'écoute. Simplement me parvient un bruit de respiration. J'attends un bon moment, mais il n'y a que ce souffle régulier. Pas de doute : le prisonnier de la seconde cellule est seul. Je me dirige alors vers la troisième fenêtre. Le vide ! Rien ! Elle est inoccupée. A la quatrième maintenant. Un type fredonne. Il chante un truc de Sinatra intitulé « Sors dehors que je te rentre dedans ». Je prête une esgourde attentive : pas d'autres bruits dans la cellote. Ce nouveau prisonnier est seul également. S'agit-il de la voix de mon ami Curtis ? Je passe le casque d'écoute à Laura. Elle est abasourdie, la chère âme. Elle pige pas, croit que le chant provient de la carrée voisine. Une fois, à la cambrousse, dans un pays de Savoie, j'ai vu une vieille paysanne devant un poste de radio. Son premier (un cadeau de son fils qui travaillait à la ville). En entendant des voix sortir de l'appareil, elle a fait le tour de sa maison, une trique à la

1. Ne croyez surtout pas à une invention Sanantoniaise ! Un tel appareil existe réellement. C'est le micro.

main, pour vérifier s'il y avait des petits malins venus lui faire une blague.

— La voix que vous entendez, mon chou, provient de cette cellule dont les barreaux s'inscrivent dans le viseur optique. Les ondes crépitantes sont cernées, isolées et grossies douze mille cinq cent vingt-trois fois ; un déboutonneur à gelée granulitique simple les squeje-panse et le son nous est alors restitué par le pousseur nosographique que voici. On peut l'auditionner par casque ou le brancher sur l'émetteur magnéso-bismural qui se trouve incorporé dans la sangle de l'étui. Maintenant, écoutez cette voix qui fredonne et dites-moi si vous croyez qu'il s'agit de celle de Curt.

Encore éberluée et moite de surprise, elle prête l'oreille, les yeux fermés, recueillie.

— Non, fait-elle enfin, non, Tony, je ne pense pas, Curt n'a pas une voix aussi grave.

— O.K., continuons…

Je « tends l'oreille » sur la cinquième fenêtre : la cellule est vide. Vide aussi la sixième…

— Alors ? demande Laura, à bout de nerfs.

Il ne reste plus de fenêtres sur cette face de la prison.

— Alors, fais-je, de deux choses l'une : Curt se trouve dans la cellule numéro 2 ou bien dans une cellule dont la fenêtre donne sur l'autre façade de la prison.

— Dans la seconde hypothèse, comment utiliser votre appareil ? questionne ma compagne.

Je braque mon objectif de l'autre côté du bâtiment. En face c'est le fleuve, avec des bateaux serrés les uns contre les autres comme un troupeau disparate[1]. Pas moyen de surplomber le camp.

1. Comparaison appartenant à ma série de métaphores rassurantes.

— Il ne nous reste plus qu'à espérer qu'il est dans la 2, fais-je entre mes dents, ce qui n'améliore pas mon élocution.

— Comment pourrions-nous en avoir confirmation, Tony ?

Juste à la fin de sa phrase, le trait de lumière, mes amis. L'idée géniale qui me sort de la matière grise (pas si grise que ça) comme une bulle sort de la bouche d'une carpe ou d'un décret papal[1].

— Laura ! m'écriai-je, vous allez courir téléphoner à l'état-major du camp. Vous direz exactement ceci : « Je vous annonce que le détenu Curt Curtis vient de se pendre dans sa cellule. »

— Quelle horreur ! s'exclame-t-elle. Jamais je ne pourrai prononcer d'aussi affreuses paroles !

Allons bon : quand je dis blanc, Laura dit noir[2]. J'aime pas qu'une bergère, fût-elle presque veuve, vienne me faire du contrecarre dans mes périodes d'action.

— Bon Dieu, vous ne comprenez donc pas que je n'ai pas d'autre moyen de faire se remuer les gars de la prison ! Naturellement, votre coup de tube leur donnera à penser qu'il s'agit d'un bobard, néanmoins ils iront vérifier, et alors je saurai si Curt est bien bouclé dans la 2 comme je l'espère !

— Et s'ils ne vont pas vérifier ? objecte Laura.

— Nous en serons quittes pour un jeton de téléphone,

1. Y a des moments, je vous jure, faut être drôlement cultivé pour pouvoir m'entrelignelire.

2. La phrase pourrait s'orthographier de la façon suivante « Quand jeudi blanc, le radis noir » ou encore : « Quand j'ai dix blancs, le lord a dix noirs », etc. A vous de poursuivre, le gagnant aura droit à mon estime et à une carte de priorité pour les confessionnaux de la région parisienne, valable pendant la semaine pascale.

Bris dans la lecture — Blague, jeux de mots, contrepèteries ...

c'est une dépense pas trop risquée, compte tenu de ce qui est en jeu, non ?

Elle opine enfin, ce qui met du sucre en poudre sur ma bile.

— Je vous parie n'importe quoi qu'ils iront voir, Laura, promets-je. C'est dans la nature humaine. Un jour, un type a eu l'idée de Dieu. Il a affirmé qu'il existait et, bien que ne l'ayant jamais vu, des milliards d'individus se sont mis à croire en lui et à se comporter comme s'il existait.

Elle me sourit tendrement.

— Diable de San-Antonio ! fait-elle comme ça avant de sortir.

Je voudrais que vous le matiez, votre San-A, mes choutes, à califourchon sur une chaise, l'œil tellement rivé à l'œilleton du viseur que je sens mon lampion droit devenir en acier bleui, les tympans réduits aux aguets, comme dit mon notaire qui est constipé des feuilles. Je poireaute un tiers d'heure (pourquoi toujours dire un quart d'heure pour parler de 15 minutes et 20 minutes pour qualifier un tiers d'heure ?). Et ce que j'espérais, ce que je désirais, se produit. Dans ma vie, ça a toujours été commak : quand je souhaite ardemment un truc, je l'obtiens toujours. C'est tellement frappant que, par moments, je me demande si je ne suis pas le Bon Dieu. Je crois bien que si. Chaque homme est son propre Dieu s'il veut bien s'en donner la peine. Le mode d'emploi ? Vous prenez un quidam normalement constitué. Vous lui faites prendre confiance en lui ; vous le persuadez qu'impossible-n'est-pas-français et il devient tellement Dieu, le bougre, que soixante ou quatre-vingts ans plus tard, la mort est obligée de se déranger en personne pour le détromper ! Passons, ou plutôt revenons. Ça se met à grésiller dans mes écouteurs. Un grincement violent, suivi d'un bruit de cataracte ; je pige qu'on tire un verrou et qu'on actionne une forte clé dans une serrure plus forte encore.

Je règle le califouillet pétaradant de mon situeur flexible à prismes combustibles et j'entends la voix nasillarde d'un gazier demander dans un américain pur fruit :

— Hello, Curtis, tout est O.K. ?

La voix de mon copain Curt retentit. Je la reconnais parfaitement malgré l'interférence du polyvalveur à bretelle.

— Tout est O.K. jusqu'à jeudi matin, vieux haricot, c'est pour après que j'ai des doutes !

Sacré vieux Curt ! Toujours le même cran, le même humour cynique. Son visiteur a un rire à peine gêné. Il marmonne, car c'est un intellectuel « O.K. ! O.K. ! »

— Pourquoi me demandez-vous ça ? questionne Curtis.

— Pour rien, pour rien, fait l'autre qui a de la conversation et un sens approfondi de la dialectique.

Là-dessus, il se retire, et je reste branché sur la seule respiration de Curt Curtis. Au bout d'un instant, mon ami se met à siffloter. Il siffle « *If you don't want it, je la remets dans ma culotte* », chanson franco-américaine due aux compositeurs Jean Pon – O'Tanklopez (chacun a écrit une note sur deux).

Laura revient précipitamment. Elle semble désolée.

— Ils ne m'ont pas crue, dit-elle. Ils voulaient savoir mon nom et où j'étais, il...

— En attendant ils ont vérifié, mon chou, triomphé-je. Curt se trouve bel et bien dans la cellule *number two*.

Elle bat des mains.

— Bravo, Tony ! Sensationnel !

Elle marque un temps et demande :

— Et maintenant, qu'allons-nous faire ?

CHAPITRE V

Déroutant comme question.

Car c'est vrai ça : qu'allons-nous faire maintenant ?

Nous célébrons ce repérage de la cellule comme une grande victoire, mais en fait, à quoi cela nous avance-t-il ?

Dans ces cas-là, il y a deux solutions, les gars : répondre carrément à Laura que je n'ai pas la plus minuscule idée de la suite à donner à cette découverte, ou bien prendre l'air entendu de l'homme qui en a deux (airs). Moi, vous me connaissez ? Toujours soucieux de sauver la face, je me choisis une expression spirituelle (j'y parviens sans difficulté, merci) et je lui réponds qu'elle va voir ce qu'elle va voir, ce qui n'est pas à proprement parler un mensonge, et n'en constitue pas moins une sorte d'espèce de promesse.

Je plie mon matériel et nous redescendons. Le singe-patron me regarde venir à lui d'un œil oblique et vigilant.

— C'est fou ce que je me plais chez vous, lui dis-je. Depuis les vacances que j'ai passées sur le lac de Côme, je n'ai jamais trouvé d'endroit plus fascinant. Je garde la chambre pour encore deux jours.

Il n'exprime ni surprise ni doute. Il se contente d'opiner et de me demander des piastres. Au rade, parmi les matafs, il y a un gros touriste énorme, rougeaud, beurré, qui se finit à la bière. On voit qu'il est touriste à l'appareil photo qui lui pend sur le bide et qui, sur ce gros ventre, ressemble à une valve. En apercevant Laura, le touriste éructe en étrusque et rassemblant ses frusques d'un geste brusque, devant le Chinois qui sent le musc, se rue jusque sur la jeune femme qu'il offusque.

— A moi, maintenant ? Tu me plais, baby ! lui gazouille-t-il poétiquement en amerloque et en l'effusionnant.

Ma camarade se débat comme une belle diablesse, en glapissant des « lâchez-moi, espèce de porc » qui rameutent l'établissement.

Vous vous rendez compte ? Cette espèce d'immonde tas de viande prend la ravissante Laura pour une dame « faite-pour-ça » ! Et devant moi, encore ! Je bondis et cramponne l'horrible par la courroie de son appareil.

— Dis donc, Fatty, je l'apostrophe, c'est pas parce que t'as été mannequin chez Olida qu'il faut te croire tout permis !

Ça le dégrise de voir virevolter mon poing à la hauteur de ses trous de nez.

— C'est votre femme ? il demande.

— Ça pourrait l'être ! éludé-je, alors refrène tes transports en commun, mon pote, ou sinon je te passe au laminoir, compris ?

— Excusez-moi, bafouille le sire qu'est ranci en se rapatriant vers le zinc.

Je sors la tête haute, en roulant les mécaniques.

*
* *

Au bar anglais de notre palace, l'ambiance est plus sélecte, mais les buveurs sont tout aussi schlass que dans le boui-boui jouxtant le camp américain. Ils boivent des denrées plus coûteuses et parlent moins fort que les soûlots du Chinois, mais leur éthylisme s'aligne sur celui des précédents. Parmi les clients les plus indiscutablement ivres, citons pour référence le camarade Lathuile et le célèbre Alexandre-Benoît Bérurier. Leurs langues font la colle (buissonnière) et leurs gestes sont maladroits. Lorsque nous radinons, Béru philosophe, écouté par le journaliste dont le métier est basé sur le vieil adage « Voir et entendre ».

— Le Progrès, assure le Gros, c'est superficiel. On aura beau inventer des avions superconiques et des lunettes espéciales permettant de regarder les albinos, la glace à la vanille se bouffera toujours dans des cornets, Mec !

La démonstration, encore que sibylline, paraît plonger Lathuile dans un marécage de réflexions cloaqueuses.

— Ça te donne à réfléchir, hein, mon pote ? savoure le Gros.

— Je réfléchis pas : je sens, déclare « Fleur de scandale » en confirmant ses dires d'un véhément pompage de narines.

— Tu sens quoi t'est-ce ? sourcille Béru.

— Toi, révèle Lathuile.

— Et qu'est-ce que je sens ? s'inquiète Sa Majesté.

— Des tas de trucs pénibles n'ayant rien de commun avec les parfums de l'Arabie, entre autres choses le flic-mal-lavé !

Et Lathuile d'ajouter :

— Quand t'es ni noir ni rouquin et que tu pues, t'as aucune excuse !

C'est catégorique. Béru vide son seizième bourbon d'un coup de gosier hargneux.

— C'est pour m'atteindre que tu dis ça, Lathuile ?

— Pas toi personnellement, réduit le journaliste. Je rêve de réformer la police. Je serais préfet, j'exigerais que tous les poulets se lavent les pieds au moins une fois par semaine.

— Tu vois grand, grommelle le Mastar, mais je serais toi, Lathuile, je m'hâterais d'écraser pour pas recevoir en plein palace une peignée pure laine qui ferait mauvais effet.

Les choses s'envenimant, je juge utile de signaler notre présence.

— On cause chiffons, les poivrots ? demandé-je en m'approchant de leur table.

En nous voyant, Béru se calme.

— C'est pas dommage, il fait. Vous avez joué « Papa-Maman au service de la France », tous les deux, soit dit sauf votre respect, madame Curtis. Malgré sa haute teneur en alcool, Lathuile bondit.

— Madame Curtis ! fait-il.

Il s'incline devant Laura.

Un mauvais sourire déguise sa lèvre inférieure en gargouille moyenâgeuse. Il me prend par l'épaule.

— Dis donc, San-A, chuchote le plumitif, que tu sois cachottier, ça fait partie de ton triste turbin, mais que tu me prennes pour de la crème d'andouille en me tirant les vers du nez à propos de Curtis, je trouve la chose un peu blette !

A mon tour je passe mon bras sur ses endosses, ce qui nous unit étroitement.

— Lathuile, lui chuchoté-je dans le creux de la vasque, ton abominable profession est basée sur l'indiscrétion, mais il est des circonstances où il faut savoir oublier.

Il a le regard gélatineux, le prince de la picole.

— Et celle-ci en est une, je parie ? il dit d'une voix plutôt menaçante.

— *Yes*, monsieur, affirmé-je. Une supposition que tu n'oublies pas, moi je n'oublierais pas non plus.

— Avec deux bonnes mémoires on peut arriver à un résultat, poursuit cette peau d'hareng fumé.

— Le résultat, je peux te le raconter comme si on y était, Lathuile. Je t'imagine avec des béquilles, des lunettes de soleil pour cacher tes yeux enflés et ton Hermès bourré de rendez-vous chez le dentiste chargé de te poser des dominos d'occasion.

— Dois-je considérer cela comme une menace, San-A ?

— Tu fais ce que tu veux, gars, t'es assez grand pour sortir sans ta bonne.

Il hèle le loufiat et commande une tournée générale, histoire de se donner le temps de la réflexion.

— Dans la vie, dit-il doctement, les gens intelligents trouvent toujours un terrain d'entente.

— Il te reste plus qu'à trouver auparavant une intelligence à louer.

— Mission secrète ? élude-t-il dans un souffle.

— Et ta sœur ?

— Elle est sténotypiste à *France-Flash* et va m'appeler dans une petite heure, répond cette sale bourrique.

— Ce qui veut dire ?

— Que je pourrais lui donner le bonjour de ta part et de la part de Mme Curtis.

— Par la même occasion, tu pourrais en profiter pour lui dire adieu, des fois qu'il t'arriverait un accident au cours de ce reportage ; le Viêt-nam, c'est pas aussi peinard que les bars de la rue Réaumur.

— Je peux ouvrir une parenthèse ? demande-t-il sans me regarder.

— Si tu promets de la refermer prompto, pourquoi pas !

— T'es sérieux quand tu profères des menaces à la Lemmy Caution, ou si tu cherches seulement à plagier Eddie Constantine ?

— Suppose que je te réponde seulement au moment où il serait trop tard pour que ladite réponse te soit profitable ?

Il est troublé. Un dix-septième bourbon expédié à la va-vite ne rétablit pas pour autant son optimisme.

— C'est donc si grave ? murmure le reporter.

— Encore plus !

— M… alors !

— Comme tu as l'honneur de le dire, Lagonfle ! C'est pourquoi je te le répète : « Oublie-moi et dis-moi bonne chance. »

Laura nous écoute attentivement, mais elle a du mal, biscotte son très modeste français qui n'est qu'orthodoxe, à suivre le nôtre qui ne l'est pas. Quant à cet abruti de Béru, il a pris le parti de roupiller. Il pionce en conscience, avec déploiement de ronflements qui laissent à penser aux autres buveurs que les Nordistes font un raid. Vous mettez douze mecs comme lui dans un Boeing et le zinc chute à cause de la surcharge représentée par ces sommeils de plomb[1].

— Tu vois, San-A, soupire Lathuile, dans la vie il y a deux catégories de bonshommes : toi et les autres bipèdes.

1. Je me trouve bien léger par moments !

— T'es drôlement flatteur quand tu en as un coup dans l'aile, remarqué-je.

Il hausse les épaules.

— D'abord, j'ai pas un coup dans l'aile, mon vieux téméraire de basse-cour…

— Ah non ?

— J'en ai une vingtaine, rectifie le « colonnialiste[1] ». Mais ni mon standing ni mon équilibre ne s'en trouvent affectés. Vois-tu, je trouve que tu es un type à part, car il n'y a que toi qui puisses menacer l'un des cracks de la presse française des pires sévices uniquement parce que tu viens trinquer avec lui en compagnie de la dame – ou de la sœur – d'un condamné à mort. Si mon raisonnement te semble trop confus, je vais demander un crayon et du papier au loufiat afin de te faire un dessin.

Il s'anime. De la bave peu appétissante dégouline de ses babines de dog.

— Comment, fait-il, tu as l'audace de te pointer avec cette ravissante personne et, en guise de présentation, tu déclares que si je parle d'elle je ne reverrai plus Paname autrement que du haut de mon étoile, ça te semble logique, dis, sombre flic ?

— Je ne comptais pas te la présenter sous son vrai nom, Lathuile, condescends-je, c'est pas de ma faute si j'ai pour coéquipier la chose la plus obtuse qu'une femme ait jamais engendrée.

Il regarde Béru endormi. Le spectacle n'émeut pas.

— Je conviens que ce pachyderme réunit absolument toutes les qualités requises pour être proclamé roi des c… ! admet Lathuile. Je conviens de plus que ça n'est pas ta faute ; seulement, en échange, conviens que ça

1. Terme san-antonien pour qualifier un remplisseur de colonnes (de journaux).

n'est pas non plus la mienne, camarade. Maintenant je sais que je me trouve en présence de Mme Curtis. Comme je dois tartiner sur l'exécution de son... Au fait, s'agit-il de votre frère ou de votre époux ?

— C'est mon mari, dit-elle à voix basse.

— Merci. De son mari, disais-je, poursuit inexorablement mon compatriote, oublier sa présence ici constituerait de ma part une faute professionnelle grave. J'ai trop l'amour de mon métier pour faillir, San-Antonio.

— Je vais finir par croire que c'est l'amour des chrysanthèmes que tu as surtout, Lathuile, grondé-je en m'apprêtant à lui démolir le pif. Je te parie qu'à la prochaine Toussaint t'en auras une pleine brouettée. A la première Toussaint, les chers défunts font toujours le plein. Après, le temps qui sur chaque ombre en jette une plus noire, comme l'a chanté Hugo, fait son boulot. Ta bonne femme sera remariée, ton adjoint qui piétine en crevant ta photo à coups d'épingles tous les soirs avant de s'endormir t'aura remplacé au baveux, bref, tu seras tellement oublié qu'il faudra aller dans des vieux gogues de banlieue pour trouver encore tes articles coupés en huit près de l'arrosoir rouillé servant de chasse d'eau.

Il se marre.

— Ecoute, lyric-man, je te fais une propose.

Je regarde alternativement mon poing, puis son menton, et je décide de surseoir jusqu'à l'audition de ladite « propose ».

— Réfléchis à un truc important, poulet, me dit-il. Nous sommes dans un pays en guerre, toi, flic français et moi, célèbre reporter également français. Autour de nous, qu'est-ce qui grouille ? Des Jaunes qui nous ont virés et des Ricains que nous avons virés. Tu voudrais que, par esprit d'émulation, on se fasse la guerre à nous deux ? Que non point, messire, ce serait par trop stupide. Concluons plutôt un pacte d'aide et d'assistance. J'ai des relations et une carte de presse, je dois pouvoir t'aider. En revanche, tu as un secret qui peut me permettre de transformer, grâce à la participation de mon camarade Gutenberg, du papier blanc en papier de chiotes-pour-bistrots-de-banlieue. Procédons en deux temps : premier mouvement, le célèbre Lathuile assiste l'obscur San-Antonio ainsi que l'évier de cantine qui lui sert d'adjoint ; second mouvement, San-Antonio donne le feu vert à son allié, ça carbure ou pas ?

Je réfléchis. A quoi bon emmener le journaleux en jonque, maintenant ? Il a raison : mieux vaut traiter à l'amiable que de sortir les yatagans.

— Banco, mec ! me décidé-je. Je prends mes risques, à toi de prendre les tiens ! Joue-moi l'*Indiscrète* et tu comprendras ta douleur.

J'avale ma salive.

— On doit fusiller Curt Curtis dans une trentaine d'heures. Il faut que je l'aie fait évader avant : simplement.

Il est très bien, Lathuile, malgré sa beurranche. Pas de démonstrations intempestives, aucune exclamation, même pas un sifflement. Il sort un havane de la poche de son veston, c'est un *Monte-Cristo* gros comme un balustre Louis XIII. Il le coupe d'un coup de dent, crache obligeamment la capsule de tabac dans le verre de Bérurier, puis chauffe l'autre extrémité du cigare, longuement, comme s'il voulait le souder.

— Tu vois grand, fait-il en exhalant une fumée couleur d'orage.

— Je sais.

— Tu as un bout de projet ou si tu fais seulement

brûler des bonzes à l'intention de saint Antoine de Padova pour qu'il te trouve une solution ?

Pendant qu'il tartine, en bon pisseur de copie conforme, mes yeux sortent leur train d'atterrissage et se posent délicatement sur une affiche de music-hall : *Lô Lin Pia.* Au programme les filles Nhû dans leur numéro de sabrage et puis, en vedette coloniale, Kons Thy Pê, le plus fameux pétomane du Cambodge, trois fois suppositoire d'or aux jeux scatologiques de Montecuccule[1] ; en vedette automobile, un troisième numéro exécuté par Hô Ksé Bon Le Ton... Et c'est là que je tique, que je pique, que je nique, que je murmure, comme en état second à l'attentif Lathuile :

— Oui, j'ai un projet, amigo. Et tu vas effectivement m'aider à le réaliser. Il faut que tu me trouves dans l'heure qui vient un champion de tir à l'arbalète qui consente, moyennant une honnête rétribution, à tirer dans la fenêtre que je lui désignerai.

Le journaliste tète son gros cigare. Il a des plaques de tabac tout autour des lèvres, comme un poupard après qu'il s'est gavé de crème au chocolat.

— T'as pas besoin de trois éléphants blancs, d'une mousson en parfait état et d'Hô Chi Minh en maillot de bain, pendant que je prends les commandes ? grommelle le styloman.

— Si je ne peux compter sur toi que pour me procurer un paquet de Camel, j'aime autant faire alliance avec un chasseur de l'hôtel.

Lors je lui désigne l'affiche de *Lô Lin Pia.*

— Ça existe, un roi de l'arbalète, à preuve !

Décidément, il a de bons côtés, l'ami Lathuile. Il

1. Célèbre général autrichien qui combattit Turenne.

regarde l'affiche, puis sa montre, puis son verre vide. Il se lève en cigarant à toute vapeur.

— Je te jure, dit-il, deux catégories de bipèdes, San-Antonio : toi et les autres !

***

— Combien touchez-vous par cachet, monsieur Hô Ksé Bon Le Ton ?

L'arbalétrier est un petit homme qui ressemble trait pour trait à votre oncle Jules, sauf qu'il est plus petit, qu'il a la peau et les dents jaunes, les yeux et la braguette bridés. A part ça, c'est frappant ! Il est encore en tenue de travail ; c'est-à-dire qu'il porte un futal aussi bouffant que Bérurier, et une sorte de casaque bleue sur laquelle on a écrit en chinois et selon la méthode Prévost-Delaunay, soit son nom, soit Merde-pour-çui-qui-le-lira !

Il hoche la tête.

— Yé tousse deux dollars, M'sieur !

— Et vous tirez combien de coups d'arbalète pour ce prix-là ?

Il est pas porté sur les statistiques et il n'avait jamais songé à faire le compte. Mais les Extrême-Orientaux sont des drôles de petits vicieux dans leur genre, ne dit-on pas en effet que les extrêmes se touchent ? En moins de temps qu'il n'en faut à Bérurier pour se remémorer sa date de naissance, l'arbalétrier annonce la couleur :

— Environ centaine, M'sieur.

— Moi je vous propose cent dollars pour tirer deux fois, c'est-à-dire l'opération inverse, correct, non ?

Effaré, notre ami Hô Ksé Bon Le Ton. Il se dit que, pour une somme pareille, je vais lui faire décocher sa première flèche dans le dargeot de Johnson et la seconde dans celui de Mao, histoire de terminer cette viet-ânerie.

— Rassurez-vous, m'empressé-je, il ne s'agit pas de tirer sur quelqu'un, mais dans une fenêtre.

— Une fenêtre ?

— Ouverte, de surcroît. Et les flèches que vous tirerez auront un embout de caoutchouc, c'est-à-dire qu'elles ressembleront moins à des dards qu'à des trucs pour déboucher les lavabos, toujours correct ? Il opine.

— Fort bien, dis-je.

Moi, vous me connaissez ? Je sais comment traiter ce genre de marché. Je sors un bifton verdâtre de mon portefeuille (prélevé sur mes fonds secrets, si le Vieux savait ça !) et je le déchire en deux. Je lui tends une moitié et je range l'autre.

— Fifty à la commande, fifty à la livraison, cher ami, c'est bien ?

Silencieusement – car il n'y a pas besoin de faire donner les trompettes d'Olida pour souligner un tel geste – il rebranle le chef derechef.

— Alors en route !

Pour ne pas donner l'éveil au singe-tenancier, l'arbalétrier prend une chambre avec Béru (leur réputation dût-elle en pâtir) tandis que Lathuile s'en choisit une pour lui tout seul. Rendez-vous est pris dans ma chambre. En attendant le regroupement, je rédige un message destiné à Curt Curtis. J'écris textuellement ceci, deux points t'à la ligne :

Mon petit Curt,

En digne descendant de La Fayette, me voici ! Grâce à un petit appareil qui, pour une fois, n'est pas d'inven-

tion amerloque, j'ai la possibilité de t'entendre. Alors, au reçu de ce message, tu vas, sans avoir besoin d'élever la voix, raconter ton mode de vie dans ce que nous autres polissons de françouses appelons un cul-de-basse-fosse. Des fois qu'on pourrait te tirer de là avant jeudi, hein ? Donne le maximum de détails sur les lieux et ses occupants.

Je t'en serre cinq et profite de la présente pour te dire : courage.

Ton pote : San-A.

P.S. : Ne reste pas devant ta fenêtre car il va y avoir une seconde distribution.

On toque à la lourde. Il est trop tôt pour que ce soit le laitier, ce n'est que l'arbalétrier. Je pourrais vous dire qu'avec son arc monté sur un fût, il me regarde d'un air carquois, mais le jeu de mots ne rimerait pas à grand-chose et, chercheurs de suif comme je vous connais, vous seriez chiches de m'en tenir rigueur. Un Béru maussade parce que mal réveillé et mal dessoûlé l'escorte, de même qu'un Lathuile attentif, cramponné à son cigare de ses trente-deux dents si je puis dire – et qui m'en empêcherait d'ailleurs ? – comme un peintre en bâtiment dingue se cramponne au pinceau qui lui sert à barbouiller le plafond, lorsqu'on lui retire son escabeau.

— Votre numéro de music-hall consiste en quoi ? je demande au tireur d'élite.

— Je crève des ballons, puis je coupe des fils, puis je perce des as de cœur, puis je…

— Ça me suffit, cher ha-mi. Moi, ce que je vous demande c'est de m'expédier une flèche dans la fenêtre que je vais vous désigner.

J'ai réglé le viseur de mon appareil sur un trépied

afin de le rendre fixe. Il est braqué sur la façade de la prison militaire. Au centre de la croix qui barre la lunette, se trouve la fenêtre de la cellule numéro 2. L'artiste se penche.

— Vous apercevez la fenêtre ?

— Très bien.

Je suis pris d'un doute.

— Maintenant repérez-la à l'œil nu, c'est la combien ?

— La deuxième.

— Parfait. Vous croyez pouvoir l'atteindre à cette distance ?

C'est jaune et ça ne sèche pas !

— Parfaitement.

Je m'empare de sa première flèche et j'enroule mon message après, le maintenant fixé avec du scotch.

— Alors, allez-y, *mister* Hô Ksé Bon Le Ton !

Béru se fourbit l'orbite pour mater la fenêtre pendant que l'arbalétrier est en train de bander.

— Il est là-bas dedans, notre… commence-t-il. Un coup de tatane de Lathuile le stoppe dans ses déblocages de couenneries contingentées. Le Gravos hurle.

— Non, mais dis donc, La Toiture, ça t'arrive souvent de piquer ces espèces de crises ?

— Toutes les fois qu'un abruti comme toi a la langue aussi longue que l'escalator du Printemps, mâchonne l'autre.

Je fichedroie Bérurier d'un œil sanguinolent de rage, et d'une voix qui a du mal à être basse, je lui susurre dans l'excavation :

— Si tu ne fermes pas définitivement ta bouche d'égout, je t'assomme à coups de crosse, Enflure ! Il maugrée mais bon gré mal gré se met au secret.

— Jé suis prêt, m'sieur, me fait le facteur.

— Alors allez-y, prenez votre temps et faites-moi du bon travail.

L'œil rivé au viseur je surveille la cible. Heureusement il fait un clair de lune au néon. Et, reheureusement, la façade de notre hôtel est plongée dans l'ombre. D'en bas nous parvient le tohu-bohu géant des matafs américains ivres morts. Des bribes de juke-box aussi.

A mes côtés, personne ne moufte. A croire que le temps s'est arrêté, obéissant ainsi à Lamartine avec quelque cent trente ans de retard. On dirait même que nos cœurs ne battent plus. C'est ça le suce-pince ! Un léger claquement, une vibration profonde nous libèrent. J'ai eu beau m'écarquiller le lampion sur la lunette, je n'ai rien vu. La flèche aurait-elle manqué son but ?

Inquiet, je me tourne vers l'homme chargé d'assurer la soudure avec Curtis (une soudure à l'arc, en somme[1]). Il est impassible, son arbalète dans les pognes.

— Raté ? soufflé-je.

Il fait un signe négatif.

— Non, m'sieur, pas raté.

— Pourtant, je regardais...

— Flèche, très rapide...

— Elle aura filé comme un dard, ne peut s'empêcher d'affirmer Béru.

Je coiffe mon casque et branche le fouinasseur lombaire à émancipation correctible. O bonheur ! O joie ! O vieil S ennemi ! Je perçois un bruit de papier déplié. Il y a un court silence. Puis une exclamation en ricain. Et puis un souffle haletant. Et alors, enfin, la bonne chère voix du bon cher Curt.

— San-Antonio, *by jove* ! Tu es le diable ou le bon Dieu ! Alors, réellement, tu peux m'entendre ?

1. Je vous dis que je ne peux pas m'en empêcher !

Ce que j'aimerais pouvoir lui répondre. Mais pour l'instant, mon petit engin ne fonctionne qu'à sens unique.

Nouveau froissement de papelard. Curtis relit le message, ou bien il l'utilise autrement. Je suppose qu'il le relit pour bien se persuader que je peux l'entendre.

Ça doit être déroutant de parler sans recevoir de réponse, surtout lorsque des murs et plusieurs centaines de mètres vous séparent de votre interlocuteur.

— Qu'est-ce que tu bricoles ? demande Lathuile.

D'un geste péremptoire, je lui ordonne de se verrouiller le piqueupe.

Mais l'intarissable Bérurier chope le relais.

— Les postes à galène c'est démodé, gars, t'aurais intérêt à t'acheter un transistor !

— Ne parlez pas, je vous en supplie ! dit Laura.

Elle entraîne mes deux camarades dans un angle de la chambre et leur explique ce qu'est mon appareil. Cependant, dans sa cellote, Curt reprend d'un ton posé et précis d'officier rendant compte de sa mission :

— Je suis bouclé dans une espèce de chambre forte, *my friend.* Par précaution, comme le bâtiment n'a pas d'étage, on a scellé des plaques de fer dans les murs et dans le plancher. La porte est également en fer. Elle ferme avec deux verrous et une clé. Elle donne sur un couloir éclairé seulement par des hublots. A un bout de ce couloir, il y a le mur. A l'autre, un poste de garde avec des factionnaires. Pour pénétrer dans ce poste de garde, il faut franchir un petit bâtiment plein de soldats. Bref, le bon Dieu lui-même ne pourrait pas me tirer de ce guêpier. Inutile de tenter quelque chose, boy, tu y laisserais tes belles plumes !

Malgré le ton enjoué du prisonnier, je décèle l'étendue de son amertume. Il en a gros sur la patate, Curt. Faut dire que c'est démoralisant, l'idée de se faire fusiller après-demain pour une faute qu'on n'a pas commise.

Ce qui me met en renaud, c'est de ne pas pouvoir lui poser les questions qui me viennent à l'esprit.

— Je ne sais pas si tu m'entends vraiment, *old chicken*, laisse-moi te dire merci pour le dérangement.

Je m'adresse au tireur :

— De combien de flèches disposez-vous ?

— M'en reste deux, M'sieur.

J'écris fiévreusement sur un feuillet :

« *Finis de jouer les défaitistes, nous sommes là pour t'arranger un coup fumant. T'arrive-t-il de sortir de ton piège à rat au cours de la journée ? Si oui, quand et comment. Reçois-tu des visites ? Parle, bonté divine ! Raconte-moi aussi les barreaux de ta fenêtre !* »

J'enroule, comme précédemment, le message après la flèche.

Sans un mot je tends le trait au traiteur.

Le voilà qui se remet à bander dur son arc métallique.

Cette fois, je m'abstiens de lorgnetter puisque le dard est plus rapide que mon nerf optique. Je préfère contempler les faits et gestes de l'arbalétrier. Il épaule, les coudes éployés comme les ailes d'une chauve-souris. Il paraît sur le point de s'envoler. La flèche empennée de blanc repose sur sa rampe de lancement. Et puis soudain : dzzzimmm, elle y est plus, l'arc est détendu. Il vibre.

Je recoiffe le casque :

— Il parle ? murmure Laura.

— Oui.

— Que dit-il ?

— Rien de plus intéressant que ce que la marquise de Sévigné écrivait à sa fille !

Effectivement, le voilà qui se remet à jacter, Curt. Sa voix a changé, cette fois il reprend espoir. Mon second message le dope. Il en veut !

— Alors, vrai, tu m'écoutes ! saint-thomase-t-il. C'est bon, tu sais. Oui, tous les matins, à huit heures pile je vais aux douches. Deux M.P. viennent me chercher…

Ça m'aurait étonné que l'hygiène fût négligée. Je connais les Ricains et leur côté Cadum.

« On traverse le poste de garde, reprend Curtis. Les douches se trouvent dans le petit bâtiment dont je t'ai parlé, et qui sert d'infirmerie. C'est ma seule culture physique. Les autres prisonniers ont droit à une balade sous escorte autour des bâtiments, mais pas moi. Qu'est-ce que tu veux savoir encore ? Des visites ? A part celle de l'aumônier, depuis que je suis passé en conseil de guerre, je n'en reçois plus. Il vient une fois par semaine, le samedi ou le dimanche. Mais il viendra jeudi matin pour me dire « courage » et me charger sûrement de faire certaines commissions aux copains du ciel ! Franchement, je ne vois rien d'autre à te dire, vieux frère. On m'apporte le breakfast le matin, après la douche. C'est copieux et bon. A midi, j'ai droit à une assiette de viande froide, et le soir à un repas substantiel. J'obtiens des livres par l'aumônier. Il m'en apporte une brassée à chacune de ses visites. Ils sont du genre lecture édifiante et si tu ne me sors pas de la m… je mourrai néanmoins en odeur de sainteté !

Allons, l'humour reprend ses droits. A mon avis, l'heure du troisième message est venue. Je me chope le bol à deux mains, pour bien réfléchir. Il faut que, sur l'instant, j'organise mon plan de bataille. Et dire qu'à

Pantruche, le Vieux me croit en train de traquer un réseau de trafiquants ! C'est un peu honteux de lui faire de l'arnaque, hein ?

Ma décision est prise. Je rédige mon troisième poulet.

« Demain matin, dans la douche, file-toi un coup de tête contre le mur de manière à saigner du pif. Et puis fais mine d'être évanoui. Surtout reste inanimé jusqu'à ce que je te dise banco, compris ? Je vais demeurer cinq minutes à l'écoute pour le cas où tu aurais encore quelque chose d'intéressant à m'apprendre. A demain, j'espère. »

Là-dessus je demande au zélé arbalétrier de m'interpréter *Le facteur sonne souvent trois fois*.

CHAPITRE VI

Toujours généreux, une fois que j'ai remis la seconde partie de son bifton de cent raides au tireur d'élite, je lui abandonne itou mon rouleau de scotch pour le rajuster.

— Et maintenant, qu'est-ce que tu vas fiche ? s'impatiente Lathuile intéressé, mais goguenard par profession.

— Laisse tomber la neige, mon pote, je lui réponds, et allons faire un gros dodo réparateur.

— Tu comptes sérieusement sortir le gars de son trou ?

— J'essaierai.

Il me biche à part.

— Qu'est-ce que sa bonne femme branle avec toi ? demande ce curieux congénital.

Je lui répondrais bien, mais on se ferait p't-être censurer.

— J'ai eu besoin de son concours, un point c'est tout, camarade.

— Oh, bon, j'insiste pas ; mais je compte assister à la suite des événements, c'est juré, hein ?

— Devant Dieu et devant les hommes, promets-je. Rendez-vous à six heures du matin dans le hall de notre hôtel.

Il s'étrangle.

— Six heures ! T'es pas louf !

— Mon vieux Lathuile, lui dis-je, l'épopée, ça ne s'écrit pas pendant les heures de bureau. Pour le second épisode, c'est comme pour la pêche à la ligne, faut être paré dès l'aurore.

Le lendemain morninge, ellipse-je, mes acolytes sont rassemblés dans un canapé du palace. Laura sent le propre, la savonnette de luxe, l'eau de toilette délicate. Elle est fraîche et bien éveillée. Lathuile sent le café et le whisky, il nous explique qu'il est obligé de mettre moitié caoua, moitié gnole dans son bol pour pouvoir réadopter la position verticale. Quant à Béru, il sent le gibier-qui-s'attarde-à-l'étal-d'un-marchand-de-venaison. Ses pauvres yeux sont gonflés comme les poches d'un voleur de pommes et ses lèvres désenchantées clappent à vide sur une nostalgie de beaujolais.

— Votre programme, Docteur ? soupire-t-il en libérant un bâillement qui ressemble à une vue aérienne du Parc des Princes.

— Mes amis, dis-je, nous arrivons au point périlleux de l'opération. Ce que nous avons fait jusqu'ici frisait l'illégalité, dorénavant, nous devons franchir le pas et batifoler dans la marge. En cas d'échec nous risquons gros, c'est pourquoi, Lathuile, si tu as des craintes pour ta carrière et la blancheur immaculée de ton casier judiciaire, tu peux remonter te pieuter et nous oublier.

Le journaliste sort un cigare et l'allume. Il porte un costar à petits carreaux qui le fait ressembler au drapeau d'un starter.

— Oublie-moi avec tes sermons, rouscaille-t-il.

Depuis le temps que j'exerce ce foutu métier, mon casier a pris des graffiti, tu penses bien. Si je comptais les condamnations pour diffamation, coups et blessures, insultes à magistrat, tentatives de corruption de fonctionnaires et autres babioles, j'aurais besoin d'un ordinateur I.B.M.

— Nous allons, ce matin même, commettre une agression contre les forces américaines, mon gros loup, toujours O.K. ?

Il a un petit tressaillement.

— Qu'appelles-tu une agression, poulet ?

— Je pense attaquer une voiture de l'armée, neutraliser ses occupants et m'en emparer.

Il fait la grimace.

— En effet, t'as pas froid aux châsses. Et qu'appelles-tu « neutraliser » ses occupants ?

— Je ne suis pas un assassin, Lathuile.

— Je m'en gaffe. Bon, je peux toujours vous faire un brin de conduite ; où vas-tu opérer cette fiesta ?

— A toi de me le dire puisque tu connais le patelin. J'aimerais m'emparer d'une ambulance. Seulement, pour la bonne marche des opérations, il ne faudrait pas que je me farcisse un convoi complet, *you see* ?

— Une ambulance, c'est ce qu'il y a de plus facile, assure-t-il, car elles ne chôment pas en ce moment. Les événements semblent soucieux de lui donner raison. Comme il achève ces mots, une formidable explosion retentit. Les vitres du palace tremblent.

— Un attentat ? fais-je.

— Yes, poulet. C'est comme ça à chaque instant. Tu ne peux pas savoir le nombre de bombes à retardement que les Viets oublient dans les vestiaires ou les toilettes des restaurants.

— Tu vas nous piloter à pied d'œuvre, mon chéri.

Ensuite, tu deviendras simple spectateur. Mets le cap sur une voie à faible circulation, d'ac ?

Un instant plus tard, vautrés dans sa guinde qu'il pilote à petite allure, nous traversons les faubourgs de Saigon.

Bientôt ce sont les masures de bambous, consolidées-fer-blanc. Puis des marécages asséchés. Et enfin la campagne avec ses rizières.

Sur la route nous croisons plein de convois militaires. En principe, aucun véhicule ne roule isolément. Il y a des camions bourrés de militaires, des automitrailleuses, des bazookas, des marchands d'ice-cream-soldats, etc.

— Stoppe dans une voie transversale ! enjoins-je à Lathuile.

Docile, il obtempère.

— Roule jusque derrière la haie de bougainvillées, inutile de faire repérer ta calèche !

Pendant qu'il obéit, nous nous organisons. En bordure de la route se trouve un boqueteau de bambous très hauts et très serrés.

— Laura, dis-je, lorsqu'une ambulance débouchera et qu'elle sera seule, vous lui ferez signe de stopper. En apercevant une ravissante fille blonde, dans ce pays, je vous colle mon billet que le conducteur s'arrêtera. Si les occupants ne sont pas plus de quatre, vous direz qu'il vient d'arriver un accident à votre frère et qu'il se trouve dans les bambous. J'espère que les gars vous prêteront main-forte. Compris ?

— Paré, dit calmement Laura.

J'admire son flegme. A la veille de l'exécution de son mari, elle est d'un calme impressionnant. On sent qu'elle a su dominer ses affres, sa peine, pour se consacrer plus parfaitement à l'action.

Tandis qu'elle commence son guet sur le bord du

fossé, je mijote la seconde phase de l'opération avec mon gros lard.

— Dès que Laura aura fait un levage, je chique au gars inanimé. Toi, tu te planques dans un fourré et, quand je ferai une clé aux zigs penchés sur moi, tu te chargeras des autres, s'il y en a d'autres, ou tu m'aideras à calmer les miens, vu ?

— Vu, Monseigneur, assure La Gelée en se fourrageant le grenier à foin d'un doigt frénétique. Reste plus que d'attendre. Dans la vie, c'est la patience, la force-clé. L'homme qui sait ronger son frein et préparer son heure a le triomphe dans sa fouille, les gars, recta !

Je mate l'heure à ma montre de plongée, noire et fluorescente, dont le cadran ressemble au tableau de bord d'une Ferrari.

Il est sept plombes juste. Dans une heure, Curtis sera conduit aux douches. Il faut que, d'ici là, j'aie trouvé le moyen de le faire évader. L'inspiration, c'est ma dernière chance. Je vais devoir improviser. Il faut se montrer artiste dans notre job, parfois. Se comporter en virtuose…

La route s'anime par instants. Elle a ses instants de frénésie, elle se met alors à gronder et à frémir. Et puis la voilà qui retombe dans une brusque apathie. De quoi vous couper l'apathie. Soudain Laura, de la route, fait un geste.

Des clients, je parie ! Je l'aperçois, entre ma forêt de cannes à pêche, qui gesticule. Un bruit de moteur. Ça freine… Je m'allonge, Béru s'embusque… Et le gars Lathuile, que branle-t-il pendant ce temps ? M'est avis qu'il doit guetter de loin. Malgré son pedigree soi-disant bouffé aux charançons, il ne tient pas tellement à se faire embastiller par les Amerloques sous prétexte d'obtenir matière d'un papelard à sensation. La quiétude bourgeoise, ça tenaille les hommes d'un certain âge. Journalistes ou voyous, ils ont le goût du transat, de la chignole molletonnée, du havane barreau-de-chaisien et de l'honorabilité.

Là-bas, j'entends l'auto qui stoppe. Je perçois la voix véhémente de Laura, sans toutefois entendre ce qu'elle dit.

Bruits de pas. Ils rappliquent. Entre la double frange de mes cils veloutés, je vois arriver deux soldats guidés par la jeune femme. L'un est petit et plutôt pas grand, l'autre très gros avec comme de l'embonpoint.

Ils jaspinent en nasillant tellement fort qu'on a envie de leur ramoner les trous de pif avec un rince-bouteilles.

Le petit pas grand se penche sur moi. D'une détente je lui noue mes cannes autour du cou, ce qui, en langage catchique, s'appelle un ciseau. Un ciseau, à froid, ça persécute le mental d'un homme, cet homme fût-il futile comme un soldat américain. Le v'là couché dans la broussaille, avec les cheveux pareillement (en broussaille). Un cri. Je mate. Et j'en ai le cervelet qui prend le hoquet. La môme Laura, gagnée par le feu de l'action, vient de se payer le gros militaire en lui massant la nuque au moyen d'une grosse picrrc qu'elle a cueillie sur le bord de la route. L'endoffé éternue et s'abat. Je termine mon client d'un léger coup de tatane dans le temporal et je me relève. Béru, bouffi d'admiration, s'approche en applaudissant.

— Magnifique ! s'exclame-t-il. Oh ! ce coup de polochon que Mâme Curtis y a vaporisé sur la calandre. Ce bébé rose doit z'en avoir pour deux plombes de dodo et huit jours de migraine !

Laura jette sa pierre. Je sourcille en constatant que le gadin en question est très pointu d'une extrémité. Je m'incline sur l'assommé. Il a une plaie pas belle à la base du crânibus.

— Tu dis qu'il va avoir besoin d'une compresse ? rigole Béru qui aime les plaies et les bosses, même lorsqu'il n'en est pas l'auteur.

— Faudra l'humecter à l'eau bénite, la compresse, dis-je lugubrement, vu qu'il est extrêmement mort pour son âge !

Du coup, le Mastar violit et s'agenouille auprès du malheureux.

— Tu nous chambres, ou quoi, San-A !

Tout comme moi, il constate le décès du gars et, pour lors, adresse à Laura Curtis un regard mitigé.

— Vous alors, bougonne mon ami, vous faites une drôle de marraine de guerre, mon petit !

— Vous êtes certain que je… je l'ai tué ? balbutie la jeune femme.

Lathuile qui nous a rejoints reste à l'écart. Son gros pif pompe l'air sucré de la campagne vietnamienne avec un bruit de bottes dans un marécage. Ses yeux enclins à la mansuétude sont devenus froids et méprisants.

— Je vous demande pardon, lady et gentlemen, dit-il, mais je vais vous laisser. Vous avez des jeux trop dangereux pour moi.

Je réagis, bien que je sois, vous vous en doutez, em… jusqu'à l'os.

— Débloque pas, Lathuile, tu vois bien qu'il s'agit d'un accident ! Laura a voulu nous donner un coup de main et…

— Elle les appuie trop, ses coups de main, si tu veux mon avis. Tel que ça démarre, ton cirque, ça m'étonnerait pas que les Ricains plantent deux ou trois poteaux de mieux, demain matin. Excuse-moi, mais j'ai un complet neuf, et douze trous de balles le rendraient irrécupérable. Tchao !

Là-dessus, il s'éloigne de sa démarche boulée de sanglier qui aurait des cors aux pattes.

— J'ai fait du vilain, n'est-ce pas ? murmure Laura.

Je ne lui réponds pas, la laissant apprécier la qualité de mon silence.

— Je voudrais pas en remettre, déclare Bérurier, mais les femmes, sorties du plumard et de la cuisine, elles sont bonnes à nibe. Qu'est-ce qu'on va faire, maintenant ?

— Exécuter le plan prévu, dis-je. Ligote solidement le deuxième guerrier pendant que je dépiaute celui-ci de ses loques.

— Pourquoi t'est-ce que ? s'informe Béru.

— Tu vas mettre son uniforme, il doit t'aller.

— Et toi ?

— Pas question que je puisse enfiler les hardes de ce freluquet. Lorsque tu te seras travesti, viens me rejoindre dans l'ambulance.

— Vous m'en voulez, Tony ? demande Laura, tandis que nous nous dirigeons vers la voiture.

Je hausse les épaules.

— C'est la fatalité, murmuré-je. Evidemment, vous auriez dû nous laisser agir…

— J'ai voulu trop bien faire, plaide la jeune femme. J'ai tellement peur qu'on ne parvienne pas à sauver Curt…

Dans l'ambulance se trouve un blessé. Le zig est dans le coma et ça m'étonnerait qu'il entende sonner le clairon de l'armistice, ou alors ce sera par un archange ailé.

Je pose mes fringues. Le blessé est à peu près de ma taille et je lui chourave son grimpant.

— Maintenant, dis-je à Laura, vous allez m'entortiller la poitrine et la tête avec de la gaze.

Elle est aussi experte dans l'art du pansement que dans celui de l'abattage clandestin.

Lorsque le Mahousse radine, fringué en vaillant soldat de l'oncle Sam, je ressemble à une momie par l'hémisphère nord.

J'asperge mes bandages de mercurochrome, je me roule un peu dans la poussière de la route, et me voici déguisé en guerrier blessé. Je glisse mon revolver dans ma poche et je me mets au volant.

— En route ! dis-je. Laura, nous vous larguerons à l'entrée de la ville, mais auparavant, confectionnez un de ces pansements dont vous avez le secret à mon ami. Arrangez-vous pour qu'il lui obstrue la bouche car Bérurier ne parle pas l'anglais. Lorsque vous serez descendue, mettez-vous rapidement en quête d'une voiture puisque nous ne pouvons plus compter sur celle de Lathuile. Faites vite. Au besoin, prenez un taxi, on s'arrangera après avec le chauffeur. Vous nous attendrez à la limite du camp, du côté de l'hôtel. Il se peut que nous ne revenions pas, auquel cas, il ne vous restera plus qu'à réciter des prières pour tout le monde.

Elle pose sa main sur la mienne, caresse longuement les poils qui la virilisent et dit d'une voix énergique :

— Vous reviendrez, Tony. Et je serai là avec une auto.

Merci de la confiance. Néanmoins ce bel optimisme marqué par Laura ne suffit pas à chasser de mon cœur l'angoisse qui l'envahit. J'étais gonflé à bloc, et puis la mort du gros infirmier et le lâchage (justifié) de Lathuile m'ont fait choir le moral.

Manière de me doper, j'ai avec mon corps un entretien privé.

— Tu trembles, carcasse, je lui dis comme ça, mais si tu savais où je vais te mener tout à l'heure, tu tremblerais bien davantage.

C'est pensé, non ?

Quand je m'y mets, je fais du bon dialogue.

CHAPITRE VII

— Et si ça tourne au vinaigre ? s'inquiète Béru en parlant de côté, ce qui lui donne la voix de Jean Nohain.

— La fuite ! réponds-je.

— Et si la route est coupée ?

— On fera camarade.

— Pas de castagne ?

— Avec les poings only, boy. Les pétards seulement pour intimider. T'es certain que tu ne veux pas déclarer forfait pendant qu'il en est encore temps ? Après tout nous ne sommes pas en mission commandée, je travaille à mon compte !

— J'ai rien contre le petit artisanat, hé, Tordu ! rouspète le Dodu sous son sparadrap.

Nous parvenons à la porte du camp.

— Alors, allons-y, mon pote ! Deux pour tous, tous pour deux et haut les cœurs ! clamé-je en actionnant à pleine turbine la sirène de l'ambulance.

Un factionnaire qui s'avançait vers notre chignole arrête son mouvement de barrage en me voyant foncer.

— Barre ta viande, ça urge ! lui lancé-je.

Du pouce, je désigne l'intérieur de mon carrosse à croix rouge. Il opine et s'écarte. J'appuie sur le champignon. Faut me voir évoluer, sirène au vent, dans les ruelles du camp.

Les militaires qui y déambulent se plaquent contre les baraquements. C'est toujours impressionnant, une ambulance militaire pilotée par un zig ensanglanté. Ça laisse présager de sinistres hécatombes à l'intérieur.

Malgré ma rapidité d'action je trouve le moyen de filer un coup de périscope sur ma montre. Il est huit plombes pile. On doit sortir Curtis de sa geôle en ce moment. A moins qu'à la veille de son exécution on néglige de le conduire aux douches ? Tout est à craindre. Je ne sais pas pourquoi, j'ai la pétoche. Vous me répondrez qu'au moment de tenter un coup aussi délicat, on peut se permettre de chocoter, même si l'on s'appelle San-Antonio et qu'on n'en soit plus à compter ses exploits. Pourtant, d'ordinaire, l'imminence de l'action me survolte. Au cœur de la bataille, j'ai l'esprit Bayard. Au lieu de retrouver ma mentalité Tarzan, voilà mon guignol qui chamade, mes soufflets qui coincent, ma raison qui me taraude les tempes.

— Ça boume, Gros ? je demande, comptant sur la chaude présence de mon saint-bernard pour récupérer.

— Faut faire aller, dit-il.

Ça ne lui ressemble pas. Est-ce une idée que je me fais ? Il me semble en cours de tracsir, lui aussi.

J'atteins le bâtiment servant de prison. Je le remonte en direction de l'infirmerie. Voilà la porte d'icelle. Une lourde à deux battants.

— On va brancarder le gus de derrière ! annoncé-je au Gros.

Aussitôt dit, aussitôt fait. On s'empare de la civière, on la déploie et on saisit le blessé.

— Dis donc, grommelle la Cirrhose, ils ont pas de veine avec nous, les Amerloques. J' sais pas si t'as remarqué, mais il est viande froide, Popaul. Il supporte pas les voyages en wagon-couchette !

— Tu vas la boucler, triple c… ! sourdiné-je en voyant rappliquer deux infirmiers.

Des drôles de mastars, les arrivants, soit dit entre nous et le canal de Suez. Des rouquins pleins de taches de son, avec des nez en pied de marmite et des mentons comme des boîtes à chaussures.

— De la casse ? ils demandent.

— On est tombés dans une embuscade viet, annoncé-je. Occupez-vous du copain, on va se faire panser !

Le plus rouquin des deux – un vrai chalumeau oxhydrique – demande :

— Où sont Bob et Ted ?

Je pige qu'il a reconnu le véhicule et qu'il s'inquiète de ses convoyeurs.

— Sur le carreau ! je soupire avec un haussement d'épaules. La salle de soins ?

— Au fond du couloir à gauche ! On revient tout de suite.

— Merci, les gars !

J'entraîne Bérurier dans le local. Selon moi, les douches se trouvent côté prison. Donc à droite. Dès que nous sommes hors de la vue des infirmiers, j'oblique dans la direction opposée à celle qu'ils nous ont indiquée et je pousse une lourde.

Nous nous trouvons dans une espèce de burlingue où deux gars en blouse blanche matent des radios de l'estomac appliquées contre un cadran lumineux.

— Excusez, docteur, dis-je. Les douches, please ? Je désigne Béru.

— C'est pour mon copain ; il faut qu'il en prenne une avant de se faire soigner, il est grouillant de vermine.

Les toubibs qui s'avançaient déjà ont un mouvement de recul.

— Vous ressortez, c'est la deuxième porte après celle-ci.

— Merci.

Je prends le chemin indiqué. Cette fois nous pénétrons dans un vaste local qui sent la buanderie. Une demi-douzaine de M.P. battent les brèmes en rigolant. Une bouteille de bourbon est posée sur la table. A notre entrée ils cessent de se marrer. L'un d'eux, un sergent, nous apostrophe.

— Où allez-vous, les gars ?

— Aux douches ! dis-je. Le doc veut que mon copain en prenne une dare-dare[1] car il a plus de poux qu'un asile de nuit.

Le sergent fronce ses narines délicates.

— Vous étiez dans quel coin ?

— On arrive de Nô Zé Habon où ça chauffe drôlement, les Viets attaquent à l'aveuglette, avec des sarbacanes blanches par lesquelles ils propulsent des bactéries.

— Des vrais démons ! fait le sergent. Mais on les rôtira tout de même, quitte à se les faire à l'hydrogène.

Il ajoute :

— Les douches sont là !

Je remercie d'un hochement de tête et m'apprête à pousser la lourde indiquée lorsque cette dernière s'ouvre sur un nouveau M.P. très affairé.

— Sergent ! interpelle-t-il, il faudrait prévenir un toubib en vitesse, le prisonnier Curtis vient de se blesser dans sa douche.

Pour le coup, je récupère. Avouez que, nonobstant mes affres, jusqu'à présent ça baigne dans l'huile, non ?

1. En américain, dare-dare s'écrit dard-dard.

Qu'est-ce qui nous sépare de Curt ? Un gros coup de bluff et de cran. Et qu'est-ce qui sépare Curt de la liberté ? Quelques malheureux impondérables, du genre dont Joffre sut si bien s'accommoder, le moment venu.

— Comment ça, blessé ? demande le sergent.

— Il a glissé dans l'eau savonneuse et s'est estourbi contre le mur. Il ne remue plus et son nez pisse le sang, explique le M.P.

— Faut voir, dit le sergent en se levant.

Il sort avant nous tandis que ses cinq hommes, peu captivés par l'accident, se remettent à distribuer les cartes. Béru qui n'a rien entravé me coule un regard tellement interrogatif qu'on pourrait s'en faire un crochet à bottines. Je le rassure et l'exalte d'un clin d'œil.

Mine de rien, on file le train aux deux bonshommes. Le M.P. guide son supérieur rachitique vers un box. Le buste de mon vieux copain Curtis dépasse l'étroite cabine carrelée. Un autre M.P. se tient immobile auprès de lui, la mitraillette sous le bras. Franchement, on ne peut pas dire que la confiance règne. Le problo qui se pose à nous est le suivant : nous avons trois adversaires à neutraliser « gentiment » dans un laps de temps très bref, et en ne faisant pas de bruit pour éviter d'alerter les cinq bonshommes de la pièce voisine. C'est coton. Pas une virgule de seconde à perdre. Je file un coup de coude à Béru. Il me visionne. J'ai à son endroit un hochement de menton sur l'homme à la mitraillette. Dans notre langage à nous, cela signifie : ce gars-là est à toi, je vais essayer de me payer les deux autres. Le sergent vient de s'agenouiller devant le « corps » de Curtis. Le premier M.P. attend ses réactions, les poings aux hanches. Mine de rien j'extirpe ma seringue en la tenant par le canon. Faut exécuter le doublé du siècle, mes fils. Je prends le bon angle, tout en m'assurant que Béru est maintenant à bonne distance du zig à la mitraillette. Et ça part. Un coup de crosse sur la nuque du militaire, un coup de savate dans celle du sergent.

Le Gros, avec un synchronisme que la T.V. française ignore encore, est rentré bille en tête dans l'estomac du deuxième M.P. Ce dernier lâche sa pétoire bégayante. Béru le finit de son traditionnel crochet au menton. Quinze ans d'expérience, modèle breveté S.G.D.G. Les trois messieurs se retrouvent dans le sirop avant de s'être demandé s'ils allaient bientôt recevoir des nouvelles des States. Je crois bien que nous n'avons encore jamais réussi un triplé aussi beau, ou alors c'est que la mémoire me fait défaut, auquel cas je vous promets de sucer des allumettes et de me gaver de poisson.

— Tu peux te relever, Curt ! je murmure.

Mais il ne bronche pas. Cette crêpe d'aviateur, en voulant se démolir le noze s'est bel et bien mis out. Je fais à la va-vite une tournée de vérifications, à savoir que j'administre une ration de somnifère supplémentaire à chacun.

— Aide-moi à me désenturbanner ! enjoins-je au Gros.

Rapidos, je me débarrasse de mon pansement frontal, ensuite de quoi je récupère la chemise du premier M.P., je coiffe son casque et je m'empare de la mitraillette du deuxième.

— Prends Curtis sur tes épaules !

Le Gros est devenu un outil. Il est docile, précis. Il ne moufte pas.

— On ressort, dis-je. Direction l'ambulance.

Vu ? Acquiescement silencieux de l'Hénorme. Notre cortège se met en route. Premier obstacle, le poste où les cinq soldats cognent du carton. Ils lèvent la tête en nous apercevant. Moi, à la lourde, je me retourne vers les douches et je lâche un déférent :

— O.K., sergent, on y va tout de suite !

… qui rassure les cinq gars. De toute manière comme ils n'ont de commun avec Einstein que la seconde nationalité de ce dernier, ils ne se posent pas de questions et, ne s'en posant pas à eux-mêmes, ne nous en posent donc point à nous. A peine si deux d'entre eux jettent un regard intéressé à mon vieux Curtis dont la frime fait penser à un steak tartare. Sa Majesté-coltinante et moi passons sans encombre. Le couloir maintenant. Heureusement il est vide. C'est trop beau pour être vrai. Je me dis que la chance peut pas nous sourire à pleines dents longtemps encore. A quoi ça rimerait de jouer les fortiches, si tout se passait comme dans la comtesse de Ségur, comme disait une amie de maman qui cachait ses économies dans le Larousse pour être certaine que son mari ne les trouve pas ! Je serais vite réduit au chômage si toutes mes entreprises réussissaient sans incident. Vous me flanqueriez mes bouquins au visage en me traitant d'abuseur de confiance, non ? Et vous auriez raison. Un auteur qui n'a que des choses insignifiantes à raconter ne mérite pas d'écrire. Il déshonore son Waterman. Et ses lectrices sont comme les pigeonnes : pigeonnées ! Vous imaginez une guerre dont le communiqué quotidien serait toujours : R.A.S.[1] ou une industrie dont la devise serait R.A.B.[2] ?

Heureusement pour vous, juste comme je nous espère sortis de l'albergo, voilà les deux rouquins-infirmiers (ou infirmiers rouquins, au choix) qui redébouchent. Ils me reconnaissent pas puisque je me suis débandeletté,

1. R.A.S. : Rien à signaler.
2. R.A.B. : Rien à branler.

mais ils retapissent aussi sec le Gros et, qui pis est, comme disait une vache qui allait de mâle en pis, son chargement !

— Qu'est-ce qui se passe ? demande-t-il.

— C'est rien ! Il s'est cogné contre le rebord de la douche, fais-je en montrant Curtis.

— Mais c'est Curt Curtis ! dit le plus rouquin des deux, celui qui ressemble à l'incendie de Chicago. Il ajoute.

— Conduisez-le à la salle de pansements.

Moi, vous me connaissez et vous connaissez mon objectif ? C'est ailleurs que j'ai envie de conduire mon pote.

Aussi je ne balance pas. Ma mitraillette relève presque toute seule son vilain museau en direction des duettistes de la pénicilline.

— Vos gueules, bande de cloches ! j'aboie. Chopez Curtis et conduisez-le dans l'ambulance, sinon je vous arrose !

Ils s'exorbitent vilain, les deux blondinets de brasier.

— Vite, ou ça va pisser le sang ! je bouscule.

A cet instant, la lourde des toubibs s'ouvre et les deux mateurs d'estomac paraissent. En voyant la scène ils ont un geste d'effarement et veulent rentrer dans leur isba. Mais je fais un pas de côté pour les couvrir également.

— Arrivez, docs, je fais à mi-voix, et soyez sages biscotte je ne voudrais pas vous interpréter *Hiroshima mon amour* sur cette mandoline à répétition.

Les quatre mecs se défriment. C'est la seconde où tout se joue, mes filles. S'ils cèdent, les beaux espoirs nous sont permis ; s'ils se rebiffent, comme je ne peux décemment pas les buter, nous l'avons *in the baba*, comme disent les pâtissiers de langue anglaise-au-rhum.

Faut donc que je me réussisse un air terrific pour les impressionner, sinon je dépose mon bilan sur le plancher.

— Exécution, sinon je vous exécute ! crié-je.

Bérurier qui, sans être capable de lire Dickens dans le texte, est néanmoins capable de piger la nature de la scène, se déleste de Curtis et le tend aux infirmiers comme s'il s'agissait d'un polochon.

Vaincus, les deux rouillés s'en saisissent. M'est avis qu'il faut les mettre. D'une seconde à l'autre l'alerte va être donnée. Et quand elle sera donnée, croyez-moi ou allez vous faire peindre l'œil de Caïn dans le fond de votre slip, ça ne sera plus de la plaisanterie. On se fera tronçonner par les guerriers de Johnson avant d'avoir eu le temps d'envoyer des cartes postales à nos relations.

— Tous à l'ambulance ! enjoins-je.

Et je ponctue d'un coup de pompe dans les miches d'un toubib. Peut-être que, malgré ma seringue, j'essuierais une résistance si je ne disposais pas d'un nouvel atout. Cet atout, c'est un Bérurier aux mains libres.

Sa devise, vous le savez, est la même que celle des notaires : peu de paroles, des actes ! En quatre paires de claques il a dominé la situation et nos gars hospitaliers sortent.

— Tous à l'arrière ! dis-je en les poussant vers l'ambulance.

Je passe ma mitraillette au Gros.

— A toi de faire la loi, Béru, mais je t'en conjure, modère tes élans fougueux, y a eu assez de dégâts comme ça. Du train où vont les choses, on galope vers l'incident diplomatique.

Sa Majesté grimpe avec notre petit monde dans la calèche croix-rougée et je m'installe au volant. Je vous jure que mon battant fonctionne sur la pointe des pieds.

Voilà-t-il pas que ça se remet au beau fixe, à c't' heure, mes bonnes dames !

A nouveau je redéclenche la sirène du véhicule. Le bruit, c'est encore ce qui intimide le plus. On peut soutenir des visions affreuses, supporter des odeurs nauséabondes, toucher des trucs répugnants, au besoin même bouffer de la chose dans les périodes de pénurie, mais subir une sirène ou le bruit d'un robinet qui fuit, c'est pas possible. Les Allemands le savaient, qui équipèrent leurs avions de hurleurs au début de la provisoirement dernière guerre. Le fracas de leurs coucous effrayait bien autrement que leurs mitrailleuses.

Dans un vacarme de *dreling dreling* je retraverse le camp.

Malgré mon sens de l'orientation je me paume une première fois, entre les abattoirs et les tennis couverts. Mais je rectifie ma trajectoire et me rejuche sur mon orbite (de cheval). Je contourne le centre d'insémination artificielle, franchis le pesage, longe la manufacture de yaourt, dépasse la léproserie, double le dancing, évite l'institut des hydrocarbures et je m'apprête à aborder l'établissement thermal lorsque des sirènes plus gueulardes que la mienne se mettent à clamer leur détresse aux quatre coins du camp. En entendant cette Bach annale, mes tifs se mettent debout, comme les enfants des écoles lorsque M'sieur l'inspecteur vient faire tarter leur maîtresse (à moins qu'il ne soit – je connais des cas – l'amant de leur maîtresse).

Je ne crois pas avancer une chose inexacte en vous annonçant que ça risque de barder pour notre matricule, mes lapins.

Comme je parviens à proximité de l'entrée du camp, je vois qu'on est en train d'en baisser la barrière. Celle-ci ressemble à celle d'un passage à niveau. Je calcule la distance qui me reste à parcourir. Quatre cents mètres. Il est trop tard. La percuter dans l'espoir de la défoncer est un projet insensé. Par ailleurs, des soldats radinent au pas de course. Que faire ! Je vire à droite et engage l'ambulance dans une voie étroite qui longe les garages. La porte d'un hangar est ouverte. J'avise des véhicules de tous calibres, ça me donne une idée forcenée. Freinage à mort. Je me cramponne pour ne pas piquer des naseaux dans le pare-brise. Marche arrière ! Puis marche avant en braquant tout. Me voici dans le hangar. Je bombe pour me ranger derrière un gros camion de campagne. Des zigs en combinaison de mécano s'activent alentour sur des moteurs. Ils ne nous prêtent pas grande attention sur l'instant, estimant sans doute que j'amène un véhicule de plus à réparer. J'ouvre les portes arrière. Au bon moment ! Ma brutale manœuvre a fait chuter le Gros et messieurs les yankees s'emploient à le désarmer. Il faut toute la fougue san-antonienne pour rétablir le calme. Je m'avise alors que Curt a retrouvé ses esprits. Il regarde autour de lui comme un zoiseau de noye ébloui par la lumière du soleil (in english, *the sun light*).

— Dans ce camion, vite ! lancé-je au Gros.

Et je repense opportunément à la méthode qu'employait Dillinger pour braquer des banques. Son hold-up accompli, il faisait grimper les employés sur les marchepieds de sa voiture afin de protéger sa fuite. Ces braves gens constituaient un bouclier vivant et la police n'osait pas défourailler.

De nos jours, les chignoles ne se prêtent plus à ce genre d'exercice puisqu'elles ne comportent pas de marchepieds, mais ce qu'on ne peut accomplir avec une voiture, on peut encore le réussir avec un camion.

— Conduis ! dis-je au Gros.

J'aide Curtis à grimper dans la cabine du camion. Après quoi j'ordonne aux autres de se cramponner aux deux portières. Comme des ouvriers, alertés par mon cinéma, font mine d'approcher, je décide qu'une petite giclée intimidante s'impose.

— A plat ventre, tout le monde ! leur aboyé-je en lâchant une pétarade dans la verrière.

Ça fait de l'effet, tout le monde se couche, comme si Nounours venait de jouer « Bonsoir les petits » et Bérurier le vaillant, Béru le preux, embraye à tout-va. Les disques patinent ; puis le camion, hautement sollicité par le pied droit du Mastar, se décide et fonce.

— Tu mets le cap sur la barrière, Gros ! Toute la gomme, s'il te plaît, on n'aura pas le temps de s'y reprendre en plusieurs fois.

— T'inquiète pas, dit seulement le Dodu, un jour, sur les autos-tampons, à la Foire du Trône, j'ai bousillé la balustrade et atterri dans la roulotte à Mme Irma, l'extra-lucide. Toute voyante qu'elle était, elle m'a pas vu arriver dans son Butagaz…

— Cramponnez-vous, les gars ! conseillé-je aux toubibs et infirmiers. On va se payer une secousse. Le camp est maintenant en effervescence (de térébenthine). Ça galope de partout. Ça débouche, ça se met en batterie. Mais mon astuce (d'origine américaine, notez bien) est payante. En voyant le personnel hospitalier accroché aux portes du camion, les militaires n'osent défourailler.

Là-bas, droit devant nous, la barrière passageanivesque est baissée, verrouillée, gardée.

J'appuie sur le klaxon, bien à fond, tandis que Béru se cramponne au volant.

— Ferme les yeux, il va vaser du verre pilé, annonce-t-il.

Et le voilà qui se met à entonner : « Nous entrerons

dans la barrière, quand nos aînés n'y seront plus. » C'est beau de marseiller à un pareil moment, vous trouvez-t-y pas ? Tout le courage béruréen est ainsi démontré. Le camion prend de plus en plus de vitesse. Les soldats ricains gesticulent comme des sémaphores pour nous intimer l'ordre de stopper, mais, réalisant que telle n'est pas notre intention, ils s'écartent en vitesse pour nous laisser passer.

Les cataphotes de la barrière ont, sous le soleil saïgonnais, des reflets de rubis. C'est la devanture de chez Van Cleef qu'on va défoncer, les gars !

Rrraôum ! Le camion a subi comme un monumental coup de fouet. La pointe de la barrière tordue par l'impact est sortie de son logement (deux pièces avec alcôve et vue sur la mer). Notre véhicule zigzague, fait une embardée, écrase la voiture d'un marchand de glaces qui n'a eu que le temps de sauter en arrière, et poursuit sa route. Chose curieuse, le pare-brise n'a pas éclaté. Par contre nous avons perdu trois des passagers de la plate-forme. Y a plus qu'un rouquin arrimé à la portière droite. Il est tellement pâlichon que ses taches de rousseur sur sa frime blême ressemblent à une poignée de *corn flakes* dans un bol de lait.

— Où vais-je, où cours-je ? demande Béru.

— Vire à gauche, du côté de l'hôtel.

Il obéit. On perturbe vachement la circulation, moi je vous le dis. D'accord, on est sortis du camp, seulement il s'agit maintenant de foutre le camp ! J'aperçois une grosse auto noire stationnée en double file. Laura a la tête hors de la portière. Elle a entendu les sirènes, elle est aux aguets.

— Fous le camion en travers de la chaussée, Gros ! hurlé-je.

Ce Béru, il est téléguidé par la Nasa, je vous jure ! Il

a un coup de volant fabuleux qui le fait percuter un tramway à l'arrêt. Deux autos particulières se joignent à l'embrassade. En une seconde il y a un paquet de tôles enchevêtrées gros comme ça au milieu de la rue.

— À la bagnole ! je crie.

Le Gros est déjà au galop. Je pousse Curtis ahuri en direction de la voiture noire, couvrant notre fuite de ma mitraillette braquée à la ronde.

Laura nous tient la porte ouverte. Elle est à l'arrière de la voiture qui s'avère être un break américain. Il y a un gros zig au volant. On se bouscule à l'intérieur et l'auto dont le moteur ronronnait fait une décarrade supersonique.

Curtis se jette sur la banquette, essoufflé, sanguinolent. Sa détention l'a drôlement amaigri. Il a les joues creuses, du bistre sous les yeux...

Personne ne moufte. L'auto, pilotée de main de maître, fonce à tombeau ouvert dans les rues populeuses.

Laura a le regard brillant. Elle me prend le cou.

— Tony, soupire-t-elle enfin, vous êtes vraiment un superman.

Je suis gêné par sa démonstration de tendresse.

Malgré la gravité de l'instant je pense à notre séance de la veille et, en présence de Curtis, ça me tracasse.

— Eh ben, Curt, l'interpellé-je, tu pourrais faire la bibise de retrouvailles à ton épouse au lieu de rester là comme un crapaud sur une feuille de nénuphar.

Il fronce les sourcils, me sourit d'un air indécis et murmure :

— Qu'est-ce que tu racontes, San-Antonio, je n'ai jamais été marié !

CHAPITRE VIII

Je vais vous apprendre une chose : la stupeur, ça a une odeur et ça fait du bruit. Elle sent le sucre caramélisé et elle craque comme du papier froissé, si bien qu'on se croirait tout à coup, à la fois dans le laboratoire d'un pâtissier et dans les cagoinsses de Richelieu-Drouot.

Pendant le quart d'une fraction de seconde (impossible d'être plus précis) je me dis que la détention a perturbé le ciboulot de mon copain. Je le regarde avec cet effarement dont témoigne toujours une douairière lorsqu'elle trouve douze tirailleurs sénégalais en train de se sodomiser dans son lit à baldaquin, et je décide qu'il n'est point dingue. Néanmoins, pour la bonne règle, je laisse tomber un « qu'est-ce que tu débloques, mec » qui me donne le temps d'étouffer mon incompréhension.

— La vérité, fait Curt Curtis, je suis un célibataire aussi endurci que toi, San-A. Où as-tu pris que j'avais convolé ?

Le con-volé, c'est vraiment mézigue, les gars.

Je me tourne vers Laura. Changement à vue ; elle n'a plus son air tendre et anxieux. Je découvre un visage dur, fermé, avec toujours les mêmes yeux clairs, mais qui, maintenant ont des reflets de glaciers[1].

— J'attends vos explications, Laura, dis-je, en chiquant les pères nobles lorsqu'ils sont outragés en apprenant que leur grande fille vient de déguster un moucheron dans l'abat-jour.

— Rien ne presse, Tony. Pour l'instant, nous avons des choses plus importantes à faire.

Je me penche pour zyeuter le chauffeur dans le rétroviseur. Cette bouille ne m'est pas inconnue. Je ne crois pas me gourer en vous disant qu'il s'agit du gros touriste qui voulait baratiner Laura chez le taulier-chimpanzé de l'hôtel borgne. Ça chancelle drôlement sous ma coiffe, mes amis. Bien que l'évasion de Curt ait réussi, je me dis que « rien ne va plus ». Je m'explique maintenant ce pressentiment angoissant qui me coupait les cannes avant d'agir. Mon camarade subconscient, un drôle de marle, avait plus ou moins subodoré tout ça. Il essayait de m'alerter, mais moi, belle poire, je ne pigeais pas ses signaux de détresse.

Bérurier s'est calé dans un coin du break et considère les autres passagers avec prudence.

— Tu crois pas que tu t'es fait repasser à la vapeur, San-A. ? me demande-t-il.

— Il me semble, reconnais-je avec cette immense loyauté qui est l'un des plus beaux fleurons de ma réputation.

L'auto déboule à cent vingt dans les rues populeuses. Je vais user d'une comparaison extraordinaire : « elle fend le flot de la circulation, comme le soc d'une charrue fend la terre ». C'est bath, non ? Faut se déballer les

1. La comparaison n'est pas de moi[2].
2. Heureusement !

hémorroïdes pour métaphorer de la sorte. Je compléterai ce document littéraire en vous précisant que ladite circulation se referme derrière nous « comme le flot après qu'il eut été labouré par l'étrave d'un bateau ». Oh ! que c'est beau ! Comme c'est académique ! Comme ça soutient la pensée ! Comme ça prolonge l'intelligence ! Comme ça intellectualise mon œuvre (pardon : mon hœuvre) ! Comme ça ennoblit map rose ! Comme ça la poétise ! Comme ça l'alexandrine !

Curt Curtis me sourit tendrement.

— Ecoute, *my friend*, me fait-il, je ne comprends rien à ce qui se passe, mais je te dis un fameux merci. Tu as été formidable ! Comment as-tu su que j'étais dans cette pommade ?

Je désigne la mystérieuse Laura d'un hochement de menton.

— Madame est venue me trouver, elle se prétendait ton épouse et m'a montré une lettre de toi dans laquelle tu lui conseillais de me demander mon précieux concours…

Curt fronce le nez.

— J'ai jamais rien écrit de semblable et je ne connais pas cette fille. Qui êtes-vous ? demande-t-il à la jeune femme.

Elle ricane :

— Nous avons toutes les forces américaines à nos chausses et vous réclamez des explications avant de savoir seulement si nous allons nous en tirer !

— Justement, Laura, plaisanté-je, on risque de déguster une volée de balles d'une seconde à l'autre et l'on ne voudrait pas quitter ce bas monde sur un mystère…

— Je n'aime pas parler lorsque j'agis.

— Vous avez tort de m'envoyer aux bains turcs, avertis-je en caressant la crosse de ma mitraillette. Je pourrais très bien mal le prendre…

Elle me donne une petite caresse, du front, sur mon épaule. Une sensuelle, cette Laura.

— Tony, grand fou, vous êtes aussi crétin que téméraire. N'oubliez pas que pour l'instant nos intérêts se trouvent étroitement liés, car je ne vous souhaite pas de tomber entre les mains de vos amis yankees.

Vos amis yankees ! C'est un trait de lumière.

— De quelle nationalité êtes-vous donc, Laura ?

— Centre-Europe, sourit-elle. Mon père est hongrois et ma mère ukrainienne. Mon véritable nom est Olga Svarvas.

Je tressaille.

— L'agent soviétique, plus connue sous le surnom de l'Ange blond ?

— Exact, cher commissaire. Vous connaissez, je vois, le *Who's who* de l'espionnage international.

Je m'apprête à lui poser d'autres questions, seulement mon attention est sollicitée par une jeep qui vient de débouler d'une rue agaçante (Bérurier dixit) et qui fonce sur nous comme, pendant *the last war*, une torpille japonaise sur un cuirassé américain.

— Attention, Dimitri ! fait la fausse Laura (que je devrais appeler à partir de dorénavant la vraie Olga afin de ne pas me prendre le stylo dans les pédales).

Le gros conducteur, dont le cou fait des vagues, a un muet acquiescement. Je le vois actionner une manette. Je pige pas ce qui se produit, mais imaginez-vous que, quasi instantanément, un immense brasier flambe au mitan de la chaussée, comme si tout un séminaire de bonzes se faisait roussir pour faire suer les Amerloques[1].

— Qu'est-ce à dire ? interroge le Gros.

1. Douce illusion de la part de ces saints hommes car les Américains s'en foutent.

Olga condescend à le renseigner :

— Napalm, fait-elle. Il y en a un réservoir sous la voiture. C'est idéal pour décourager des poursuivants.

— Mince, mais les James Bond vont jusque chez vous ! m'exclamé-je, la bagnole truquée, à c't'heure ! Que comporte-t-elle encore comme gadgets ?

— Ceci ! dit-elle.

Elle appuie sur un bouton astucieusement dissimulé à l'intérieur du cendrier. Très vite, une vitre s'élève de la banquette avant, isolant le conducteur de ses passagers.

— Et alors ? insisté-je.

Elle étend la main vers le plafonnier. L'appareil pivote comme le couvercle d'une boîte et une sorte d'étui jaune tombe du pavillon de l'auto. L'étui est relié au toit de la voiture par un tuyau de caoutchouc.

— Regardez bien ! nous dit Olga.

Elle tire un coup sec sur le conduit et se plaque l'étui contre la bouche. Il s'agit en réalité d'un masque respiratoire, comme ceux existant à bord des Boeing pour permettre aux passagers de recevoir de l'oxygène en cas de dépressurisation.

— A quoi jouez-vous, Ol…

Impossible d'en dire plus. En dégageant le masque elle a déclenché une émission de gaz. Et c'est pas une émission sans provision ! On en morfle plein les trous de nez, Curt, le Mastar et moi ! On a un geste pour abaisser les vitres du véhicule, mais les poignées tournent à vide. Ça noircit rapidos sous nos coiffes. On a la bigoudaine qui fait roue libre. On oublie le temps qu'il fait, la hausse des prix, les misères de la guerre et les dix commandements. Tchao, tchao, bambino, comme chantait l'autre.

*
* *

Un ronron.

Avec application et une certaine difficulté, je soulève un store. Je me trouve à dix centimètres de la frite béruréenne. C'est pas un spectacle appétissant lorsqu'on émerge du sirop avec un mal de cœur à côté duquel ceux que transporte un ferry-boat un jour de démontage de la Manche ressembleraient à des petits verres de Quintonine[1]. Béru, artificiellement endormi, cela fait songer au cloaque d'un marécage surchauffé, exhalant ses miasmes dans la touffeur d'un été torride[2]. Sa barbe animalise ce beau visage de sous-homme ; elle en gomme les traits patinés au vin rouge (car on ne patine pas seulement avec l'amour), en accentue la mornesse[3]. Je note les dimensions excessives de ses cavités nasales. Vu en contre-plongée, le pif à Béru ressemble à la hotte d'un barbe-cul[4], sa bouche à celle d'un égout, et ses paupières closes à deux lanternes japonaises éteintes.

Je cherche à me dresser (car j'occupe la position hori-

1. Alors, franchement, j'sais pas où je vais chercher des comparaisons pareilles ! Faudrait que je me fasse psychanalyser un de ces matins, des fois que, mine de rien, j'aurais perdu la courroie de mon ventilateur.

2. Croyez-moi : pour tortiller des phrases de ce style, faut avoir la grande boîte de vocabulaire, sa trousse à syntaxe et sa grammaire maternelle.

3. Les mots, c'est comme les mômes : faut pas avoir peur d'en fabriquer si l'on veut que la race se perpétue.

4. En orthographiant barbecue comme je viens de le faire, je retrouve une vérité première. Ce terme a été créé par les premiers Français qui débarquèrent en Amérique. Ils firent cuire à la broche des porcs sauvages et baptisèrent ainsi ce mets afin de souligner que tout est bon dans le cochon.

zontale), mais ça m'est impossible car on m'a entravé bras et jambes. Tout ce que je peux faire, c'est rouler sur moi-même afin d'obtenir un angle de vue différent. M'étant placé sur le dos, je découvre une coupole de plexiglas à travers laquelle on voit un ciel bleu, infini, où de menus nuages du genre cumulus cherchent en vain des stratus, voire même des nimbus, pour leur tenir compagnie. J'opère une nouvelle rotation de 45 degrés, et j'avise le poste de pilotage d'un hélicoptère. Aux commandes, se trouve le gros faux touriste qui, naguère, conduisait le break. Sur le siège voisin, Olga fume une cigarette de couleur en rêvassant. Une paire de pieds ligotés se trouvent entre elle et moi, je n'hésite pas à les attribuer à Curt. Mon premier sentiment est de joie. Ainsi donc, nous avons pu échapper aux M.P. ? Donc, ainsi, l'évasion de Curt Curtis a parfaitement réussi ? Bravo, San-Antonio ! Certes, tu n'as libéré cet ami que pour le laisser kidnapper par d'autres, il n'en reste pas moins, San-Antonio, que la mission que tu t'étais assignée a été remplie. Un nouveau succès à inscrire à ton glorieux palmarès, mon ami ! Tu es donc irrésistible dans tes entreprises, San-A. ? C'est bien toi l'homme qui remplace l'éclairage au néon, Astra, le Gardénal et les pilules laxatives ? Je suis fier de tes prouesses, San-Antonio. Continue à nous mener toujours sur le chemin de la gloire, de l'honneur et de l'hôtel Machin. Tu passeras, le front haut et ceint de lauriers-roses sous des arcs de triomphe majestueux. Tu connaîtras les apothéoses tricolores. Tu entendras les trompettes de la renommée (Paul Beuscher concessionnaire exclusif) jouer des hymnes à ta gloire. Tu seras célébré, doré, adoré, poncé, curé (de Tours ou de Cucugnan), récuré, éclairé, encensé, badigeonné de Marseillaise, monté en mayonnaise, promu, élu, reconnu, juché, statufié, clubé, astiqué, vanté, prôné à la foire du

Prône. On t'enseignera, on te fera reluire, on te glorifiera en chaire et en noces. On cristallisera ce léger souffle qu'aura été ta vie. On pincera et repincera les cordes de ton instant pour les faire longtemps résonner dans la mémoire des hommes. Ta menue trajectoire de bipède aura tracé un arc-en-ciel au firmament, au firpapa, au firtatan, au firtonton, au…

La voix de Laura-Olga :

— Eh bien, San-Antonio, vous parlez tout seul ?

Je devais vadrouiller dans un état second et voici que la dure réalité me tire la langue.

— En tout cas, vous deviez dire des choses agréables, continue-t-elle, car vous poussiez des petits rires d'aise, mon cher ami. Je pense que cela provient de ce gaz ; chaque fois que je l'utilise, mes clients se réveillent dans un état euphorique.

Je fais un effort, comme pour avaler un cachet sans le secours d'un verre d'eau. Mais j'ai beau me triturer la matière grise, me la pétrir pour lui restituer une forme de cervelet, je continue de me trouver génial et d'être content de moi. C'est unique, non ? Je suis ligoté dans un hélicoptère (du grec *hélix* et *pteron*), prisonnier d'une redoutable agente secrète soviétique, et j'ai l'impression que tout va admirablement bien. Je m'autocritique en sourdine, plus exactement, c'est mon subconscient qui hausse les épaules. Pour mézigue on continue d'inscrire « Fête au village ».

Olga déboucle sa ceinture et s'approche de moi.

— Vous récupérez vite, dit-elle, généralement, mes clients en ont pour deux heures.

— Tandis que moi, je dors depuis combien de temps ?

— A peine quarante-cinq minutes, Tony. Un record de plus pour vous ! Voyez comme vos compagnons en… en écrasent !

Elle rit.

— C'est bien comme ça que vous dites ?

— Exactement, Olga. Vous n'auriez pas un petit quelque chose à boire qui ne soit pas à base de gardénal ou de phénergan ?

— Attendez, je vais regarder dans le coffre de Dimitri.

Elle ouvre la porte de fer d'une espèce de casier peint en blanc et, ayant rapidement exploré ce dernier, en sort une petite bouteille agrémentée d'une étiquette verte.

— De la vodka, ça vous va ?

— Mon rêve !

— Elle n'est pas frappée, ça ne fait rien ?

— Ne vous frappez pas vous-même, plaisanté-je avec esprit, je saurai m'en contenter.

Elle dévisse le bouchon de métal et m'introduit le goulot dans le bec. Ça l'amuse de me faire biberonner. L'instinct maternel, chez la *woman*, c'est fort ancré. Toutes chiares, elles jouent avec des poupons de cellulo. A peine adultes, la plupart d'entre elles se font polichineller. Grâce à cet instinct, on continue la fresque. « Eh, vas-y donc, c'est bien ton père. » Ça, c'est pas la *Dame de chez Maxim*, mais la maxime de la dame ! Oui, toutes ! Même une gonzesse comme Olga, cœur d'acier, tête froide, aventurière chevronnée, amazone fringante, sublime espionne... Le biberon, fût-il plein d'alcool à 40 degrés, ça l'émeut dans le profond, ça lui caresse l'hormonal, ça lui émulsionne le moule à gaufres, je le vois bien. Je m'en aperçois à son sourire qui ressemble à celui d'une femme penchée sur un berceau. C'est plus fort que moi, j'en cause[1] à Olga.

1. Je signale à mes lecteurs érudits que c'est pour rigoler que j'emploie le verbe *causer à*.

— Supposez, ma toute belle, qu'il y ait du lait Guigoz au lieu de vodka dans cette bouteille et que je sois un beau bébé de huit livres au lieu d'un beau monsieur de cent quarante… Vous m'auriez fait, Olga. Moi, la mine Cadum, avec des fesses bien roses, des pieds potelés… Blondinet comme vous… Ça ne vous tente pas ?

Elle s'aggrave.

— Vous êtes un drôle de garçon, San-Antonio. Vous me plaisez infiniment.

Elle marque un léger temps et ajoute :

— A tous les points de vue.

— Merci, mon chou, confidence pour confidence, j'inscris pareil à mon tableau d'affichage. Et je suis bougrement content que vous ne soyez pas la femme de Curt. J'avais beau me dire que les Ricaines sont des inconscientes, purement organiques, et qu'elles ne font pas de différence entre une partie de dodo et un bain de vapeur, ça me flanquait des complexes d'avoir doublé mon ami.

— Vous êtes le prototype de l'homme d'action sentimental, Tony, assure gravement Olga. C'est une espèce en voie d'extinction.

— Que voulez-vous, soupiré-je, si on faisait l'autopsie de tous les gens morts, la plupart du temps on trouverait dans leur cage thoracique, au lieu d'un cœur, un perroquet. Mais trêve de badinage, vous ne voulez pas éclairer ma lanterne sourde, ma chérie ? Lorsque j'achète un billet de la loterie nationale, je n'exige pas le numéro gagnant, mais je veux qu'on me précise la date du tirage.

Elle se marre.

— Les Services Secrets soviétiques ont de bonnes raisons de s'intéresser à Curt Curtis.

— Pourquoi ?

Elle secoue sa jolie tête blonde.

— Je ne suis pas dans la confidence. On m'a expliqué qu'on entendait mettre la main sur Curtis, et l'on m'a donné la marche à suivre. En haut lieu, on connaissait votre amitié pour cet officier américain et, vous l'avez vu, on estimait vos capacités à leur juste valeur, cher San-Antonio. Mon rôle consistait à vous « déclencher », si je puis dire, et à vous aider dans la mesure du possible. Dans moins d'une heure, ma mission sera achevée.

— Où nous conduisez-vous ?

— Dans la jungle, à une centaine de kilomètres au sud d'Hanoi.

— Et qu'allons-nous fiche dans cette jungle, belle vamp au cœur de pierre ?

— Je vous répète que je l'ignore. La seule chose qu'il me reste à faire, c'est de vous convoyer ; d'autres prendront le relais.

Il est évident qu'elle ne me dira rien de plus, soit parce qu'effectivement elle ignore le reste, soit parce qu'elle a reçu l'ordre de la boucler à double tour.

Ce coup de vodka m'a requinqué et je me dis qu'après tout les choses ne vont pas si mal. On s'est tiré du guêpier le plus virulent ; si les Popofs nourrissaient de vilaines intentions à notre endroit, il leur était fastoche de nous laisser quimper à Saigon, Béru et moi, pendant qu'on roupillait, non ? Dans le fond, si vous voulez tout savoir, je suis flatté qu'ils aient songé à moi pour cette mission. D'ac, ils m'ont fait retirer les marrons du feu en loucedé, n'empêche que le San-Antonio jouit d'une drôle de réputation à l'étranger, mes biquets. C'est de la denrée surchoix, moi je vous le dis. Et moi, vous me connaissez ? J'ai pas le genre bêcheur. J'ai même plutôt tendance à faire dans la simplicité et la modestie, non ?

Y a des moments où mon côté violette agace les amis. San-A, ils me disent, tu devrais prendre conscience de ce que tu représentes. Ton talent, tes capacités, ta… Allons, bon, voilà que les effets du gaz endormeur se font encore sentir. Je voudrais bien connaître la formule de ce machin-là, histoire d'en renifler un peu lorsque les gros cafards poilus me déambulent sous le couvercle.

— *Sous le pont Mirabeau coule la Seine*, déclamé-je, afin de tromper le temps.

Ça m'arrive souvent de déclamer pendant les périodes d'inaction forcée. Tenez : en train, ou en avion par cxcmplc, lorsque lc temps ne m'appartient plus et que je ne peux que le subir sans le contrôler, je me prends à me susurrer des vers. Des alexandrins lorsque je suis de tempérament emphatique. J'en babille des biens pompeux. *O, combien de marins, combien de capitaines… Je ne regarderai ni l'or du soir qui tombe, ni les voiles z'au loin descendant vers Harfleur…* Victor Hugo, c'est confortable. Ça fait salon d'attente de spécialiste : y a des revues sur papier couché, des divans profonds (comme des tombeaux), des potiches chinoises et de l'airain à en attraper le bourdon. Pour les moments de tendresse, Verlaine, bien sûr, ou Rimbaud, c'est pas de la roupie de cent sonnets. *Le Barbu naze*[1] : *Comme je descendais des fleuves impassibles…* Jamais Lamartine : *Otan, suspends ton vote !* Ça fait deuil, Alphonse. C'est de la poésie pour sanatorium, je trouve. Un côté masturbé encéphalique. Quant à Vigny, je vous le laisse : trop bonnet de nuit de Musset. *L'amour du lot*, ou *La*

1. En français ancien : *Le bateau ivre.*

mort du loup (voyez : il me fait contrepéter) ça ressemble à la peinture de Delacroix. Quand je veux me dégrumeler la pensarde, me gymnastiquer le cerveau, c'est vers Apollinaire que je me tourne. Y a quelque chose chez lui de bizarre, on sent qu'il est originaire d'ailleurs et qu'il serait sûrement allé ailleurs s'il n'avait décidé de faire coïncider sa mort avec une date historique. Alors je me gargarise, à bord de l'hélicoptère, de *Sous le pont Mirabeau coule la Seine.* J'arrive pas à enchaîner. L'image me séduit. Je répète inlassablement le vers. Je vois la Seine, le pont Mirabeau un peu triste... *Sous le pont Mirabeau coule la Seine...*

— Et sous les autres ponts, elle coule pas, p't-être ? articule péniblement Béru.

— Ah ! te voilà, Gros, enregistré-je avec satisfaction. Bien dormi, Pépère ?

— Formide ! J'ai fait z'un rêve merveilleux.

— T'as bien fait d'en profiter, hé, Ramona, vu que la réalité est moins chatoyante, le douché-je. Il veut se redresser, constate son ligotage, mais, grâce aux gaz optimistes, ne se formalise pas outre mesure.

— Ma parole, je suis saucissonné comme un Jésus [1], fait-il, jovial. Figure-toi que je rêvais à Berthe. Elle conduisait un hélicoptère...

— Berthe excepté, tu cernais la vérité d'assez près, mon pote.

Sa Majesté réalise enfin où il se trouve. Exécutant aux commandes et Olga sur le siège passager. Ça lui en flanque un coup dans le moral.

— Mouais, dit-il, on est tombé de charogne en syl-

1. A Lyon, certains gros saucissons s'appellent des « jésus ». Si un lecteur d'entre Rhône et Saône pouvait me donner l'origine de cette appellation, qu'il n'oublie pas de joindre un « jésus » à sa lettre. Merci.

labe ; on biaise[1] les Ricains, mais on se fait coiffer par les Russes. Qu'est-ce qu'ils nous veulent, les bas tauliers de la vodka ?

— Je l'ignore, et la jolie dame prétend l'ignorer aussi.

— Il fait partie de la croisière, ton pote ?

— C'est même pour lui qu'elle a été organisée ; je ne sais pas dans quel pétrin il s'est fourré, mais je subodore du croustillant.

Doucement, j'appelle le condamné à mort.

— Hé, Curt, t'es sorti des vapes ?

Il ne répond pas. J'essaie de me dresser pour voir sa frime. Olga qui m'observe devine mes craintes et les dissipe :

— Soyez sans inquiétude. Curtis va bien, mais je lui ai administré une dose supplémentaire car mes chefs ne voulaient pas qu'il eût une conversation avec vous !

1. C'est moi qui ai pris la liberté d'écrire biaise, Béru avait sucré un « i ».

CHAPITRE IX

L'appareil descend verticalement. Olga s'approche de nous.

— Nous arrivons, dit-elle avec la gentillesse d'une hôtesse d'Air France.

— Où ça ? demandé-je.

— Un camp d'entraînement situé dans la rizière du Hibou, sur les bords de l'Han Ri Ko.

Ça me flétrit un peu l'optimisme de voir avec quelle facilité l'espionne me renseigne. Réfléchissez : si elle me fournit ces détails, à moi, flic chevronné, c'est qu'elle ne craint pas que je commette une indiscrétion. Si elle ne craint pas mes indiscrétions, *c'est qu'elle est certaine que je ne pourrai pas parler*, C.Q.F.D., comme disent les sourds-muets qui ne s'expriment que par sigles.

— Et qu'est-ce on va nous faire dans ce camp, belle dame ? demande Bérurier.

— Vous le verrez bien ! répond-elle, perdant ainsi quatre-vingt-dix-neuf et demi pour cent de son amabilité.

— C'est un camp de quoi ? insiste le Valeureux. Mais elle nous délaisse pour s'approcher de la porte car le zinc (une Libellulof × 22) a touché terre. Olga fait jouer le verrouillage de la lourde et actionne le bouton commandant la mise en place de l'escalier roulant. J'entends parlementer en russe. Des voix d'hommes, graves comme l'organe de Chaliapine (d'âne). Des silhouettes surgissent, celles de trois solides gaillards blonds, vêtus de shorts et de chemises kaki.

— Bonjour, messieurs ! les accueille Béru.

Les trois arrivants s'abstiennent de répondre, soit qu'ils ignorent le français, soit qu'ils ne connaissent point les règles de la politesse.

Ils nous examinent de leurs cinq yeux sereins (l'un d'eux est borgne), puis, le chef (il n'a pas de galons sur les manches, n'ayant pas de manches, mais il porte un bracelet-montre doré), lance un ordre en vietnamien (qu'il parle couramment, quoique avec l'accent russe) et, aussitôt, quatre soldats de l'armée du Nord grimpent à bord et nous emparent (comme dit Béru avec ce sens du raccourci qui lui a valu une chair à pâté dans la charcuterie située à gauche du Collège de France).

— Hé, les potes ! hurle Béru tandis qu'on le déballe de l'hélicoptère, tenez-moi un peu plus soulevé, j'ai le verre de montre qui donne du gîte.

Seulement il est lourdingue, le pauvre biquet, et les coltineurs sont de petite taille.

— Je vais avoir le postère en technicolor ! fulmine ce prince de la police française.

— Ça sera ravissant dans une vitrine du Musée de l'Homme ! lui rétorqué-je, car les deux autres Viets me coltinent également à la suite de Bérurier.

Autant que j'en puisse juger de par ma position horizontale, nous nous trouvons dans une espèce de ville fortifiée d'un style broussard particulier. Les constructions sont en bambou refendu, avec moulinet à tambour, et leurs toits sont recouverts de feuilles de bananiers en matière plastique, ce qui fait que, vu d'avion, le camp ressemble à une forêt. Les rues sont bordées d'arbres véritables dont elles prennent ombrage (faut avoir du culot pour se permettre des à peu près semblables). On nous jette sur le plateau d'un camion électrique qui démarre aussitôt.

A nouveau, me voici nez à pif avec Béru. De Curt, il n'est plus question.

— J'inaugure mal de la suite, lugubre Béru. Mon Vieux causait toujours du péril jaune. Ces petits teigneux me scalperaient la peau des choses pour en faire des sacs à main que j'en serais pas autrement surpris. Ton avis, docteur ?

— Je pige mal les intentions de ces messieurs, réfléchis-je.

— Biscotte ? anglicise-t-il selon une méthode qui relève plus d'Heudebert que d'Assimil.

— S'ils entendaient seulement nous éliminer, ils n'avaient pas besoin de nous transbahuter jusqu'ici.

— Certes, fait le Gros, qui possède un certain nombre de mots évasifs mais élégants.

— D'autre part, poursuis-je, plus pour mon confort mental que pour le sien, s'ils nous introduisent dans ce camp, garrottés comme des locataires de sarcophages, c'est sûrement pas pour nous offrir des vacances...

— Alors ?

— Alors, je ne voudrais pas affecter ta belle sérénité, Alexandre-Benoît, mais mon petit doigt me chuchote qu'il se prépare des trucs pas ordinaires.

On nous débarque devant un bâtiment de plain-pied qui, extérieurement, ressemble à une vaste case de bambou, mais qui, intérieurement, s'avère être en fibrociment renforcé. Le local est divisé en deux pièces. La première est un poste de garde, la deuxième une cellule.

Toutes les geôles du monde sont bâties sur le même principe. Malgré leurs divergences politiques, les hommes, qu'ils soient de l'Est ou de l'Ouest, se soumettent à des normes identiques. Une salle de bains, des gogues, une chambre à coucher, un terrain de sport sont pareils sous toutes les latitudes, mes fils. Et ceux qui les utilisent le font de la même manière. Quelle différence y a-t-il entre un buzinesmane[1] de Detroit et un coolie de Pékin lorsqu'ils se mettent la boyasse à jour ? La position est la même pour le type qui a des actions en bourse que pour celui qui a des bourses en action. Toutefois, en ce qui concerne la prison – puisqu'il faut l'appeler par son nom – des Vietnamiens, je dois porter à votre connaissance, en vertu des pouvoirs que je me suis conférés, comme disait Charles le Sauve, que la cellule n'a pas de fenêtre. Deux conduits d'aération, une forte ampoule électrique grillagée et une seule porte donnant sur le poste de garde. Dans la cellule, quatre lits de camp, un lavabo, une tablette fixée au mur et quatre escabeaux. C'est pas le *Waldorf Astoria.* Ces messieurs nous portent chacun sur un plumard et nous délient de nos entraves et du secret professionnel.

— Vous n'auriez pas un petit quéque chose à boire, si j'oserais me permettre ? leur demande Bérurier.

Les quatre Jaunes se retirent sans un mot ni une mimique et nous restons à nous fourbir les articulations, le Gros et moi, déconfits comme deux brochets dans une nasse, à cela près que les brochets ne se massent jamais les chevilles sans un cas de force majeure.

1. Note pour le linotypiste : rectifiez pas, je l'écris comme ça.

— Et on cause comme quoi les voyages forment la jeunesse, rouscaille mon ami après trois plombes de détention, moi j'aurais plutôt tendance à me faire vioque.

Personne n'est venu nous rendre visite. Il fait chaud et la cruelle lumière de l'ampoule meurtrit nos rétines fatiguées. Quelle journée ! Je revis tout ce cinoche depuis le matin : l'attentat contre les ambulanciers (je comprends maintenant que la pseudo-Laura ait buté le gros brancardier), le lâchage de Lathuile, notre coup de force dans le camp amerloque, la dure renversée lorsque nous avons découvert l'identité de Laura, le sommeil gazeux, le voyage en hélicoptère... Y a de l'action, non ? Et des surprises !

Béru sue comme un porte-cierges un soir de Noël. Je le vois s'approcher du robinet, pour la troisième fois, l'ouvrir et regarder dégouliner l'eau d'un œil désenchanté.

— Tu vas voir que je finirai par en boire, lamente mon ami. Je traîne une de ces pépies, que ma langue ressemble à un morceau de paillasson.

Je tends l'oreille aux rumeurs du camp. De lourds convois font frémir le sol. On perçoit des tac-tac de mitrailleuses, par intermittence. Il s'agit de tirs d'entraînement. Des explosions plus sourdes et plus fortes indiquent qu'on se sert également de rockets.

— T'es pas causant, me reproche le cher Obèse.

— L'homme qui médite a droit au silence, Gros.

— Tu trouves que c'est le moment de méditer ?

— La méditation est la suprême ressource du prisonnier.

La philosophie, sur l'esprit béruréen, c'est comme la pluie sur un plumage de canard : ça glisse dessus sans le pénétrer.

— Faut gamberger le moins possible, affirme mon

compagnon, si t'as la moulinette qui s'abandonne, tu deviens chiffe molle, mon pote ! Est-ce que c'est au moyen de sortir d'ici que tu penses ?

— Non. Je voudrais percer le secret de Curtis.

— Alors, prends une chignole, mais te fous pas le caberlot hors jeu, mec.

Néanmoins, il questionne après un temps de réflexion :

— Qu'est-ce t'appelles le secret de Curtis ?

J'hésite à lui donner un cours de Curtisation ; la détention, le climat, la déshydratation ne conditionnent pas Béru pour une gymnastique mentale. Il a déjà, au repos, du jeu dans les engrenages cervicaux, alors vous pensez…

Mais il insiste :

— Ben, développe, mon pote, je suis preneur.

— Pourquoi Curt a-t-il été condamné à mort par les Ricains ? Parce que, après avoir été fait prisonnier par les Viets, il a ramené un zinc piégé et que les hommes de son escadrille ont juré ensuite qu'il était de connivence avec l'ennemi.

— Et qui te dit que ça ne serait pas vrai ? suppose Béru. Après tout, tu croyais à l'innocence de ton copain à cause de sa soi-disante femme et de sa soi-disante lettre, mais puisqu'il n'y a plus ni gerce ni bafouille, le Curt, il a p't-être bien trafiqué avec les Sovietnamiens.

— J'admets cette possibilité ; pourquoi dès lors les Russes auraient-ils manigancé tout ce chmizblick afin que je le délivre ?

— Ben, si Curtis était devenu un pote à eux, c'est normal qu'ils voulassent lui sauver la vie ! réplique le Pertinent.

L'objection me fait réfléchir. Elle se défend, mais ne me satisfait pas. Je sens grouiller des énigmes au fond de tout ça. Le puzzle s'emboîte mal, y a comme un défaut. Je m'explique :

— Curt a ramené son coucou bourré d'explosif. Il a été traduit devant une commission qui a cru à une ruse des Viets. Sur le moment, Curtis a passé pour un pigeon plus que pour un traître. Les supérieurs de mon ami ont pensé que son évasion lui avait été diaboliquement ménagée de façon qu'il croie réellement avoir réussi une action d'éclat. Les choses ne se sont détériorées que quelques jours plus tard, après qu'on eut délivré ses hommes et qu'ils eurent parlé. Donc, si Curtis avait eu partie liée avec les Viets, il se serait esbigné dans l'intervalle, pendant qu'il était encore libre.

Le Gros secoue la tête.

— Il prévoyait pas qu'on délivrerait ses hommes ; ç'a été la tuile. Crois-moi, Gars, tu te berlures à tout-va. Ton copain est devenu communisse. Ça s'est gâté pour lui et les Popofs t'ont adroitement azimuté pour que tu le faisasses évader, voilà toute l'histoire. Conclusion, c'est môssieur le commissaire et son Béru maison qui l'ont *in the baba*.

— Eh bien, non ! tonné-je en sautant du lit. Non ! Non ! et non, Gros. Je connais Curtis, je l'ai vu à l'œuvre. Ses opinions ont pu évoluer, rien de plus normal, mais ça n'est pas un traître. Il n'a pas délibérément amené un appareil piégé chez ses compatriotes ! Il a trop de courage pour exécuter une pareille traîtrise ! Je te dis qu'il y a autre chose. Tu me connais : quand j'ai un pressentiment…

— Une vraie gonzesse ! fulmine Béru. Parle-z'en de tes pressentiments ! La première nana qui se pointe avec des roploplos de choc, des larmes de crocodile et une bafouille bidon te fait cavaler à l'aut' bout de la Terre pour jouer Buffalo Bill au service de l'empereur ! A part ça, môssieur le commissaire est branché sur la mondovision ! Il pressentime à la fakir Burma : un ail dans le corsage des dames et l'autre sur l'au-delà ! Il se croit en accointance avec l'enchanteur Truquemuche, le San-A ! Laisse-moi marrer, mec ! Bernadette Scoubidou, c'est pas pour demain. J'sais pas si tu prends du carat, mais je trouve qu'on te manœuvre à la gaffe, comme une barcasse à légumes. T'as drôlement tendance à prendre argent comptant les bonnes chicorées qu'on te propose ! Il aurait fonctionné, ton renifleur à modulation de fréquentation, on serait pas dans ce nid à m… !

— Gueule pas si fort, hé, Baudruche, ça va augmenter ta soif ! coupé-je.

Il se tait, troublé par l'argument. Je me lève pour aller me filer la pipe dans lc lavabo. La flotte est tiède et pue le rouillé ; je comprends que le Gros hésite à l'écluser. Ce triste jus de robinet n'est pas propre à lui faire renouer des relations avec l'eau.

Une autre heure s'égoutte, péniblement. On ne moufte plus. On n'a rien à se dire de valable. Au-dehors, les bruits s'apaisent et la grande torpeur de l'après-midi accable ce coin de monde. Le cri des colimaçons de marécage retentit, de temps à autre, lamentable comme un braiment d'âne. Dieu qu'elle est déchirante la plainte du colimaçon. Elle éveille en vous de rares désespérances ; elle trouble l'homme le plus aguerri.

Soudain, le pêne grince à la grille rouillée, comme l'écrirait mon regretté camarade Albert Samain. La porte s'entrouvre et Curt Curtis est poussé violemment dans la pièce. Il est blême, avec des yeux hagards. Il titube, chancelle… Je me précipite et il me choit dans les brandillons.

— Je n'ai rien à dire, balbutie-t-il. Rien à dire…

V'lan ! Passe-moi les Ponge, comme disait un bibliothécaire occupé à classer les ouvrages des poètes français contemporains. Voilà mon pauvre pote *in the black* cirage. Il a les dents crochetées et ses narines se touchent, les polissonnes.

Aidé du Gravos, je le porte sur un lit vide (lui qui l'est déjà).

— On a dû le bricoler vachement, déclare Bérurier. Bouge pas, je vais y filer un peu de flotte sur le museau pour le ranimer.

De ses mains en conque, il asperge la figure de l'officier. Au bout d'un moment, Curt bat des cils.

— Ça y est, murmure Sa Majesté triomphante, il a changé ses fusibles.

Je m'assieds sur le plumard, près de Curtis, surveillant son retour au conscient. Mais tout en le regardant, des idées me sillonnent le citrouillard. Voilà qu'il se met à phosphorer, San-A. Je pige d'un seul coup d'un seul la raison de notre présence ici. *Les Russes nous ont drivés jusqu'à leur camp afin que nous les aidions une fois encore !*

Je vois à vos bouilles d'ahuris endémiques que vous ne filez pas le tortillard, mes drôles ! Faites un effort, quoi ! Bousculez un peu vos cellules, que diantre ! Ça ne vient pas, vraiment ? Toujours cette bonne vieille constipation du cervelet, alors ? Soit dit entre nous et un concert de musique de chambre à Beaujon, faudra vous décider à consulter un spécialiste du chou ! C'est pas normal d'avoir toujours le détecteur en cale sèche, vous êtes certains de pas chérer sur l'albumine ou l'urée, des fois ?

Bon, je vais vous actionner les Mazda. Selon moi, ils ont quelque chose à faire avouer à Curtis. Seulement, ils se sont dit que mon copain parlerait peut-être pas, malgré leur science de l'interrogatoire. Vous voyez où se place la résurgence ? Pas encore ? Je vous jure que votre cas va prendre rang parmi les plus beaux parce qu'il est un peu désespéré sur les bords. Les camarades popofs ont tout bêtement pensé que si Curt ne leur disait rien, il me parlerait peut-être à moi, et qu'ainsi ils apprendraient indirectement ce qu'ils veulent savoir. Comment ? Tout couennement en plaçant des micros dans notre geôle. Réfléchissez tout de même un peu : ce matin, dans l'hélicoptère, Olga m'a dit qu'elle avait drogué Curt pour qu'il n'ait pas de conversation avec nous. Or v'là qu'on le met dans la même pièce que nous. C'est logique ? Moi je vous dis que non !

Je bigle autour de moi… Mon regard s'arrête sur les bouches d'aération. Aussitôt, je place deux escabeaux l'un sur l'autre afin de pouvoir enfiler la main par les orifices. Un bon point, San-Antonio ! Mes doigts fureteurs rencontrent une tige arrondie et perforée.

Bien entendu, Béru qui a suivi mon numéro d'équilibriste s'apprête à me questionner. Mon index placé perpendiculairement à mes lèvres l'en dissuade. Il lève les gobilles au plaftard, comme un nabus surveille le ciel en se demandant s'il ferait pas bien de rentrer son foin avant qu'il vase.

— C'est relayé par Europe ? me chuchote-t-il.

Je lui intime l'ordre de se taire complètement et je retourne à Curt. Mon ami paraît sortir d'une catastrophe aérienne. Il a les yeux hallucinés du bonhomme qui se trouvait aux gogues lorsque le zinc a perdu une aile et qui, par bonheur (et par mégarde) a tiré sur la commande d'un parachute en croyant qu'il s'agissait de la chasse d'eau. Je lui bassine le front de la main. Il sue abondamment.

— Tu te sens un peu mieux, fils ? lui fais-je affectueusement.

Il exhale un soupir.

— J'ai cru devenir fou, San-A, soupire-t-il.

— Qu'est-ce qu'on t'a fait ?

Il ferme les yeux.

— Je ne sais plus, c'était insoutenable.

— Tu as parlé ?

— Je n'ai rien à dire…

J'ignore s'il est sincère ; il me semble, en tout cas. Bon, si lui n'a rien à dire, c'est pas mon cas. Ma décision est prise dans la foulée. Je me penche sur lui, je plaque ma bouche contre son oreille, et dans un souffle je lui murmure :

— On nous écoute. Je vais te demander de parler. Tu me chuchoteras n'importe quoi pour leur faire croire que tu me révèles des choses. Surtout, ne me dis rien d'important, Curt. Tu es prêt ?

Il a un bref hochement de tête.

Je m'écarte de lui et, d'une voix distincte, sans pourtant monter le ton, je déclare :

— Et à moi, Curt, t'es sûr de ne rien avoir à dire ?

— A toi, c'est pas pareil, répond mon copain qui a pigé en partie mes intentions.

— Je ne suis pas certain qu'on ne nous écoute pas, reprends-je, alors tu vas me parler dans le tuyau de l'oreille, par mesure de précaution.

Cette dernière phrase, je l'ai prononcée en baissant encore la voix, mais en m'arrangeant pour qu'elle demeure audible.

— Parle, Curt, je t'écoute ! ajouté-je. Docilement, mon vieux haricot de Curtis bredouille des mots incohérents. Dans leur micro, les Ruskis ne doivent ouïr qu'un vague sifflement. J'entrecoupe la fausse confession de Curt de « Ah bon ! » et autres « C'est pas possible » qui, en toute autre circonstance, feraient rigoler la veuve d'un fabricant de poil à gratter. On continue ce petit manège pendant trois minutes et je le conclus par un : « Eh ben ! mon pauvre vieux ! » lourd de compassion, d'effroi et de tout ce que vous voudrez.

Le Gros, salivant de curiosité, s'approche de mézigue, fils dorloté de Félicie.

— Alors ?

Les poils de ses portugaises me chatouillent la lèvre supérieure. Passant outre ce désagrément, je lui déclare :

— Grâce toujours à mon don de voyance, Gros, je suis prêt à te parier une étole de vison contre une étole de curé que dans pas longtemps, on va venir me chercher. Durant mon absence, ne pose aucune question à Curtis, compris ?

— Mais...

— La ferme ! Curt ne m'a rien dit. Seulement, les autres sont maintenant persuadés du contraire et ils vont me cuisiner à mon tour.

— T'es complètement louf ! s'indigne Bérurier. T'as donc si tellement envie de te faire passer les bibelots au presse-citron ?

— Il faut coûte que coûte que nous sortions de là, peut-être que, pendant la séance, je trouverai une combinai...

Pas le temps d'achever ma phrase car, de nouveau, l'huisserie de la porte fait entendre ses jérémiades de girouette pelotée par le mistral.

Deux athlétiques gaillards pénètrent dans la cellule. L'un d'eux reste dans l'encadrement avec une mitraillette dans les bras. L'autre s'approche de Béru, lui passe des menottes et l'entraîne. Je suis stupéfait. J'ai envie de crier pouce, de leur dire qu'il y a maldonne et qu'ils se fourrent le doigt dans le coquard.

Sa Majesté me fiche un regard sarcastique.

— L'extra-lucidité, c't un métier, mec, me dit-il. Avant de vouloir passer pro, faut faire ses classes dans le marc de café !

La porte se referme sur la dure absence de Béru.

CHAPITRE X

Vous parlez d'une feinte à Jules !

Dresser un plan machiavélique et le voir se retourner contre soi, ça perturbe le système moelleux. J'avais fabriqué un piège à San-Antonio, vachement téméraire, et c'est devenu un piège à Béru. Ce qu'il y a de plus duraille à assimiler dans la vie, c'est le courage inemployé. Vous êtes là, vous vous apprêtez à souffrir, à subir, à braver. Vous enfilez votre costar de toréador. Vous exercez vos nerfs, bandez vos muscles, aguerrissez votre âme, et puis l'allumette ne s'enflamme pas. Ce potentiel constitué, cette abnégation, cette espèce de volupté de la douleur que vous avez créée vous restent pour compte. C'est un état d'érection mentale qui ne trouve pas à s'assouvir. L'esprit de sacrifice, c'est terrible à mettre au bouillon. Quel autodafé, miséricorde (à nœuds).

Pourquoi est-on venu chercher Béru et pas moi ? L'estiment-ils moins coriace que le vaillant San-Antonio ? Pauvre Gros, va ! Ce qu'il doit me maudire *in petto*.

Curt Curtis geint sur son plumard. Son corps est agité d'un tremblement bizarre.

— Ça ne va pas, Baby ? je lui demande.

Il me dévisage comme quelqu'un qui a du mal à fixer ses pensées. M'est avis que ça ne s'arrange pas pour lui.

— Que t'a-t-on fait, Fils ?

— Les yeux, dit-il.

Effectivement, il a des meurtrissures bleuâtres aux paupières et sa rétine est injectée de sang.

— Et mes oreilles, ajoute l'officier.

— Tu peux me raconter ?

— Ils m'ont attaché dans un fauteuil et avec un appareil ils m'ont tenu les yeux ouverts...

Il porte ses mains à la hauteur de son regard comme s'il voulait le protéger.

— Et puis ?

— Ils m'ont braqué un rayon lumineux dans chaque œil. Il y en avait un rouge et un blanc. Ensuite, ils m'ont mis un casque acoustique pour me faire écouter un bruit de sirène. Le bruit allait crescendo. J'ai cru que mon cerveau se désintégrait.

— C'est tout ? demandé-je fort étourdiment, car il faut avouer que c'est déjà pas mal.

— Ils interrompaient la torture pour me poser des questions.

Je lui susurre dans l'entonnoir :

— Quelle sorte de questions, Curt ?

Ça me démange rudement de savoir. Malgré tout le critique de la situation, je donnerais un cache-nez de rabbin contre un cache-sexe d'eunuque pour entrevoir le commencement du début de la vérité.

— Je n'ai pas compris ce qu'ils me demandaient, fait-il. Avant de me ramener ici, ils m'ont fait une piqûre et je sens que... je crois que... je... je...

Il file dans le sirop de limbe, le pauvre chéri. Vous avouerez que c'est un comble, comme aurait dit Mansard. Juste au moment où je comptais en apprendre davantage ! Ça me rappelle cette histoire du zig qui se pointe dans un grand magasin, affligé d'un grave défaut de prononciation. Il dit comme ça : « Je voudrais un heur... heur... heurchproutz. » Panique à bord, le vendeur va chercher le chef de rayon, qui va chercher l'administrateur, qui va chercher le directeur. A chacun, le pauvre gars bredouille : « Je voudrais un heur... heur... heurchproutz. » C'est le désespoir dans la taule. A la fin, le président-directeur général, alerté à son tour, a une idée géniale : — « Le chef comptable a le même défaut de prononciation, dit-il à son état-major, envoyez-le au client, peut-être le comprendra-t-il. » Aussitôt dit, aussitôt fait. On dépêche le chef comptablc, mine de rien. Et cinq minutes plus tard, le client s'en va, rayonnant, des rayons, avec un paquet sous le bras. *Immediately* on cerne le chef comptable : — « Que voulait donc ce client ? » demande le président-directeur général. Le comptable sourit et déclare : — « Simplement un heur... heur... heurchproutz. »

Dans mon cas, c'est presque du kif. J'ai beau envoyer le chef comptable aux nouvelles, tout ce que j'obtiens c'est un heur... heur... heurchproutz ! Mais il y a plus grave : l'évanouissement de Curtis. Pourquoi lui hâtons, l'huile à thon, l'huis à ton, lui a-t-on fait cette piqûre ? Pour le remonter ou pour le descendre ? Pour l'inciter à parler ou pour l'obliger à se taire ? Pour l'instant, Curt semble reposer d'un sommeil à peu près tranquille. Son évanouissement, en fait, c'est du sommeil provoqué. Le pauvre gars, tout de même ! Il lui reste plus que d'être piqué par la mouche tsé-tsé ! La grande dormanche ! Le mal des petits lits blancs !

Me voilà seul, ce soir, avec ma peine. Dans quel guêpier me suis-je engagé, biscotte mon bon cœur ! Faire évader mon ami pour qu'il tombe dans les mains de gens qui le torturent, avouer que l'enjeu ne vaut pas la chandelle ! Sans moi, demain morninge, il se dégustait sa volée de prunes et tout était classé pour lui. Son destin partait aux archives…

Je rumine des pensées tellement sombres que si je me grouille pas de les peindre en blanc, le premier mec miraud qui se pointera va les percuter.

Et pendant ce temps, mon Béru subit des délicatesses bien mijotées. On lui fait le coup du projo bicolore, de l'émission fortissimo, du brodequin sans lacets, du goutte-à-goutte pernicieux, du suppositoire géant, du cure-dents à ressort, de la pompe à vélo investigatrice, du tisonnier vadrouilleur, de la bassine à friture automatique, de la cloche à melon fêlée, et bien d'autres non encore homologuées dans le répertoire des voies de fait. Lui qui était plus étranger à cette affaire que le mouton de pré-salé qui vient de paître !

Lui qui n'est même pas en mission commandée et qui s'est joint à moi pour uniquement la beauté du sport ! J'ai des scrupules plein mes vagues, mes chéries.

Ce que les minutes sont longues lorsqu'elles tissent des heures d'attente ! A force de rester prostré sur ma couche, je finis par perdre la notion de durée. Le gémissement des verrous me fait sursauter. Dans quel état vais-je retrouver mon brave Gros ?

Il paraît, soutenu par les deux gaillards dont il a été fait état plus haut. Il semble cotonneux des jarrets, Béru. Il pend comme un drap mouillé sur une corde à linge. De grands cernes violets soulignent ses yeux globuleux, plus sanguinolents que des steaks tartares. Mon cœur se serre (pour faire de la place au chagrin). Ma chair souffre de la chair malmenée du Mastar. Je l'aime comme un frangin, Béru, malgré son côté porcin. On dit que dans le cœur de chaque homme un cochon sommeille. Chez moi, le cochon en question se nomme Alexandre-Benoît Bérurier. C'est mon cochon de frère de lait, mon frère de cochon de lait, mon haltère et gros, mon jumeau de cœur, mon postillonneur de long jumeau, mon lard rance (d'Arabie), ma couenne d'hilare, mon Saint-Jean (pieds de porc), mon singe en hiver !

Les deux mercenaires le propulsent dans la prison, comme naguère ils y propulsèrent Curtis.

Bérurier fléchit, se surmonte, titube, trottine, zigzague, louvoie (et Colbert), trébuche, mollit, se raidit, vient jusqu'à moi et s'écroule en sanglotant convulsivement contre ma poitrine.

— Misérables ! tonné-je à l'adresse des tortionnaires.

Je maintiens le Gros, je veux le réconforter, mais les deux méchants s'avancent. Des menottes se balancent entre les mains de l'un d'eux. Je pige que ça va être à moi ! Chose curieuse, ça m'apporte une sorte de sombre soulagement. Enfin, il va servir, mon courage légendaire !

Je tends docilement mes poignets. Et pendant que ça fait clic-clac, Béru, toujours en proie à sa nervouze, se trémousse contre moi ; s'agrippe à moi, s'Agrippa d'Aubigné, sa grippe espagnole. Et brusquement, soudain, tout à coup, si vous me permettez cette salve de pléonasmes, je sens sa grosse paluche qui se fourvoie dans l'une de mes poches. J'en reste plus médusé que Géricault devant sa fameuse toile[1].

Qu'est-ce à dire ! Le Dodu serait-il moins liquéfié qu'il y paraît ? Effectivement, je surprends une lueur maligne dans ses pauvres gobilles. Ce mince regard, c'est celui de la paysannerie française, mes amis ! La mordante ironie du terreux qui voit un monsieur de la ville

1. Quand je vous disais qu'il faut posséder une solide culture pour me lire !

marcher avec des chaussures de daim dans une terre labourée. Il contient toute la sourde jubilation de l'opprimé qui emmerde l'oppresseur.

La chose s'est déroulée en moins de temps qu'il ne m'en faut pour vous la narrer. Déjà, les zigs m'entraînent sans douceur. Si j'avais une entreprise de déménagement, je ne les embaucherais sûrement pas, croyez-moi, car les potiches chinoises passeraient un triste quart d'heure !

Nous sortons… Tonton, tontaine. Pourquoi me sens-je aussi gaillard ? Je marche au supplice d'un pas d'athlète pénétrant sur le stade.

La chaleur est, n'hésitons pas à sortir les grands mots, torride. Quelques Viets de plus en plus congs roupillent dans les hamacs tendus entre des choucroutiers garnis.

Le drapeau jaune à bandes molletières vertes flotte au sommet d'un mât. Dans la brousse proche, des serpents à sonnettes carillonnent pour le premier service tandis que les crapauds-buffles font entendre leur mugissement.

Je ne suis pas curieux, mais je voudrais bien savoir ce que le cher Béru a glissé dans ma fouille. C'est lourd, c'est dur, c'est pointu. Les petits cadeaux entretiennent l'amitié. Nous traversons une petite esplanade où des Vietconnes qui ont envie de tisser font de la tapisserie. Mignonnes, ces petites bougresses. On a envie de leur chanter Turlututu-Chapeau-Pointu. Hélas ! ça n'est pas le moment. Mes gardes du corps me conduisent à un bâtiment un peu plus grand que les autres.

Des panneaux écrits en russe et en sovietnamien en garnissent la façade. L'un d'eux comporte une faute d'orthographe. Un maladroit a écrit Kikédonk Si Konq (ce qui veut dire bureau de l'état-major) avec un « Q » à

Kong, ce qui – vous ne l'ignorez pas – ne se fait jamais lorsque la première personne du masculin est placée avant le comptoir national d'escompte ou lorsqu'elle est suivie dans la rue par une ombre chinoise.

Nous pénétrons dans le local. Des Viets fourbissent leurs fusils en discutant le Bouddha de gras ; ils me jettent un regard indifférent tandis que les malabars me guident vers une porte capitonnée de cuir. Cette porte ne fait qu'en isoler une autre. Le Russe à la mitraillette frappe. Une voix lui dit d'entrer dans la langue de Tolstoï (qui se trouve être par la même occasion celle de Tchekhov). Nous nous annonçons dans une vaste pièce au milieu de laquelle s'élève un grand bureau métallique.

Faut de la santé pour apporter un meuble aussi moderne et volumineux au cœur de la brousse, non ? Le meuble est chargé d'instruments bizarres. De l'autre côté, face à la porte, quatre personnes sont assises dans des fauteuils pivotants. Il y a là l'officier blond qui est venu nous cueillir dans l'avion ; Olga, un civil viet, aux pommettes très hautes, très saillantes et tressaillantes dont le regard ressemble à deux coups de canif dans un contrat de mariage et un autre mec en civil, un Blanc en complet blanc portant de grosses lunettes noires et des pansements d'albuplast, depuis le menton jusqu'à la racine des crins. C'est ce dernier qui semble présider la cérémonie.

Il fait un geste aux gardes et, dociles, ces derniers me débarrassent de mes menottes pour m'attacher aux accoudoirs d'un fauteuil faisant vis-à-vis à l'étrange aréopage. Ensuite de quoi, j'ai droit au casque de standardiste. Pendant qu'on m'affuble de ma belle panoplie de supplicié, je regarde curieusement autour de moi. Je note que les rideaux sont tirés devant la fenêtre et que la pièce est éclairée par un tube fluorescent, très fluo et très récent. Le civil viet s'est levé de son siège et c'est lui qui manipule les deux projecteurs braqués en face de moi. Ce Viet serait-il un bourreau chinois engagé tout exprès pour nous interpréter les « grands cimeterres sous la lune » ? Le plus intimidant, c'est que personne ne parle. La présence d'Olga est, pour moi, la seule note réconfortante dans ce climat hostile. Je sais bien que c'est elle qui nous a amenés ici, néanmoins, le fait de la connaître (et de la très bien connaître) crée malgré tout un courant de chaleur, comme le répétait un perroquet de mes relations : « C'est humain. »

Je lui virgule un clin d'œil polisson, manière de lui montrer qu'un poulaga français, même quand il se fait repasser, conserve tout son cran (de sûreté).

Le Jaune au regard en forme de boutonnière sans décorations règle les faisceaux de ses machiavéliques projecteurs. On se croirait chez l'oculiste pendant qu'il vous fait des tests avec ses loupiotes vertes et rouges, ses cadrans lumineux et ses lettres de dimensions variables. Je me dis que, le centre d'attraction étant constitué par ses gestes, ses lumières et ma bouille, je pourrais p't'-être bien essayer de vérifier à la sauvette le quoi t'est-ce que Béru m'a virgulé dans la pocket.

On m'a lié les poignets aux accoudoirs, mais ça me laisse l'usage relatif de mes nageoires. En me trémoussant un peu le valseur, je parviens à approcher ma poche de ma main et je l'écarte du bout des doigts. Mon sens tactile en éveil délecte une tige d'acier ronde, pointue et aplatie du bout ; cette tige est terminée par un manche également rond qui doit être en matière plastique. Bref, je vous parie une portée de musique contre une portée de chiots qu'il s'agit d'un tournevis. Le Mahousse a dû repérer cet objet, par terre, et le sucrer entre le moment où on l'a délié de son fauteuil de douleur et celui où les deux zigs l'ont empoigné par les ailerons pour le ramener à la maison.

Brave Gros, va ! C'est tout lui… Groggy, ravagé, en compote, il a pourtant trouvé le moyen de ramasser cet objet et de me le remettre en loucedé. Ça voulait dire : « Prends tes risques, San-A. et tire la chance par la queue ! Joue ton va-tout, vieux frère, si tu en trouves l'occase. » Cette aveugle confiance me survolte.

Je bigle hardiment les vilains qui m'examinent. Le gars aux lunettes noires surtout retient mon attention. C'est curieux, mais il me semble confusément l'avoir déjà vu quelque part. Où ? Je n'en ai pas la moindre idée, ni quand ! C'est vague et indéfini. Il émane de lui un je ne sais quoi d'impondérable que mon sixième sens (celui de l'élite) reconnaît. Et à la manière dont il me défrime à travers ses verres fortement teintés, je sens que lui aussi m'a reniflé. Ça doit dater d'une autre affaire, probable…

Cette fois la mise en place est achevée et le Jaune va reprendre sa place de l'autre côté du burlingue. Il éteint la lumière principale. Aussitôt je cille, car le double faisceau provenant des projecteurs me fouaille violemment la vue. Il me semble que mon œil gauche s'agrandit, s'agrandit, tandis qu'au contraire l'autre rapetisse. Il s'agit d'une souffrance neuve et qui m'étonne. J'ai été si souvent molesté et de façons parfois très ingénieuses et très démoniaques, mais je n'avais jusqu'alors jamais éprouvé cette sensation effrayante. Ma tête se déforme, se contorsionne. J'essaie de fuir le supplice en baissant les paupières : impossible car mes stores sont tenus ouverts grâce à de minuscules pinces aux mâchoires crochues.

Un cauchemar ! Je m'oblige à penser à autre chose. Mais c'est presque impossible… M'man ? Ah oui,

M'man ! Félicie, tout loin, dans le coin de France où elle attend son téméraire rejeton en mijotant des petits plats pour le cas où, comme d'ordinaire, il arriverait sans crier gare. Chaque jour, elle met des fleurs dans ma chambre : un petit bouquet d'œillets ou de soucis dans le même vase d'opaline bleue. Si je laisse mes os dans cette aventure, elle continuera de disposer ses fleurs sur ma table, Félicie. Toujours, et tous les jours, tant que le Bon Dieu la laissera voguer sur l'eau grise de l'existence.

A cet instant critique, ça me réconforte, la pensée du vase d'opaline.

On m'a coiffé du casque. Quand on me l'a mis, il était silencieux mais maintenant, le ululement de sirène retentit. Faible au début, son intensité augmente. Heureusement que j'ai plus d'un tour dans mon sac ! Vous savez pourquoi je dis ça ? *Parce que, lorsque l'ami Curtis m'a appris la nature de la torture infligée par ces messieurs, votre petit copain San-A s'est bourré les portugaises de brins d'étoffe mâchés afin de se prémunir contre le bruit*. Pas bête, hein ? Oh ! ça ne vaut pas les boules Quies, mais ça réduit des deux tiers mes facultés auditives, ce qui, dans la conjoncture actuelle, n'est pas négligeable.

La violence de ce que je perçois me laisse à penser ce qu'est ce vacarme lorsqu'on ne s'est pas fourré des berlingots dans les cages à miel. Les projecteurs, minces filets ardents, me pénètrent comme deux lames. Ma pauvre tête ! J'ai la sensation d'être aveugle, d'avoir le caberlot démantelé, éclaté comme la coque d'un vieux rafiot. C'est un truc semblable que les Tartares (déjà) lui avaient infligé, à Michel Strogoff : le sable rougi au bord des lampions. Et le grand méchant lui avait lancé la fameuse phrase : « Regarde de tous tes yeux, regarde, car c'est pour la dernière fois. » Ça ressemble, comme dit l'autre, à un alexandrin qui aurait cinq à six pieds de trop ! Le Strogoff, il a eu un coup d'émotion et il s'est payé une larmette au moment qu'on lui filait le coupe-chou dans la poire. Si bien que la larme a constitué une protection naturelle. Moi, à y réfléchir, je me suis toujours demandé pourquoi ça ne lui a pas plutôt cuit la prunelle au bain-marie, mais bref… La vue sauve il a eu, à cause de son cœur tendre. Bath allégorie, non ? Est-ce que San-A, l'ingénieux type, pourrait pas se payer, en l'occurrence, une strogofferie de ce genre ?

Justement, ça me rappelle, quand j'étais mouflet ; avec les petits copains, on jouait à qui regarderait le soleil en face le plus longtemps. Et je gagnais toujours parce que, pour fixer le mahomed, je me renversais comme qui dirait la prunelle. Je la faisais basculer de bas en haut.

Qu'est-ce qui m'empêche (au sirop) d'essayer, après tout ? J'essaie et je m'aperçois que la recette est bonne et que les rayons perdent la moitié de leur puissance. Donc, additionnons : un tiers d'effet sonore, plus une moitié d'effet visuel, ça ramène l'efficacité totale de leur supplice jumelé aux deux-cinquièmes (c'est beau l'effraction).

Stop ! Faut que je vous cause. Je viens d'employer le mot « jumelé » et ça me fait penser au jumelage de nos villes avec des villes étrangères. L'idée est bonne en soi (et même en soie quand il s'agit de Lyon), mais mal employée car on se marie toujours avec des bleds prospères. Ça tourne tout de suite au banquet, à l'échange de fanions, à la balade organisée. C'est bourgeois, c'est peinard, c'est inutile. On chique au rapprochement des peuples. On serre sur son cœur le bourgmestre de telle ville allemande qui, naguère, dirigeait la Gestapo et on en frissonne d'émotion. Mais à quoi ça rime, dans le fond ? C'est du tourisme sentimental, rien de plus. Ce que je suggère, car ce serait efficace, c'est qu'on se jumelle avec des patelins sous-développés. Au lieu de leur cloquer des fanions on leur donnerait du lait condensé, ça aurait une autre allure. Y a plein de lardons étiques qui sont prêts à appeler maman un tube de lait Nestlé, songez-y, bon Dieu ! Pour lors, le jumelage voudrait dire quelque chose. Au lieu des dodus Allemands, des proprets Scandinaves, des pittoresques Ecossais, on hébergerait des Hindous sans calories, des Sud-Américains anémiés, des Africains scrofuleux. On ne mettrait plus les petits plats dans les grands, mais les grands plats dans les petits plats (les plats de l'estomac, s'entend, cent ans, sent temps, sentant). C'est une idée que je vous lance en l'air, tâchez qu'elle ne redégringole pas. Pour ma part, je suis prêt à me jumeler avec Calcutta ou Caracas. Je commence à avoir singulièrement honte de notre prospérité occidentale, pas vous ? Qu'est-ce qui différencie, par exemple, un pauvre paysan suisse d'un riche paysan suisse, à part le fait que le pauvre lave lui-même sa Mercedes. Rentrez en vous-mêmes s'il y a de la place et méditez, mes amis.

Je relourde vite fait la parenthèse pour ceux qui ont les bronches fragiles, et je reviens à ma fâcheuse position. Les sévices raffinés qu'on me fait subir durent une quarantaine de minutes. J'endure pas mal, mais je leur jette du lest pour leur faire croire que c'est intolérable. Je pousse des cris, je soubresaute… Je geins, je rogne, je supplie, j'injurie, je maudis. A la fin, ils stoppent la manœuvre ; la lumière d'ambiance revient. Il me faut un bout de temps avant de pouvoir distinguer les personnages immobiles comme chez Grévin qui me font face. Mes yeux éblouis les distinguent à peine. Ce ne sont que des masses sombres, des silhouettes incertaines plaquées devant une immense radiation. Des taches sur le soleil ! Progressivement, ce flamboiement violent se dissipe. Les visages retrouvent leurs expressions.

L'homme aux lunettes noires fait un signe à Olga. Elle n'attendait que ça pour m'attaquer.

— Cher Tony, dit-elle, tout à l'heure, dans votre prison, Curt vous a fait certaines confidences que nous aimerions connaître. Nous savons – et pour cause – l'amitié que vous lui portez, mais il est de son propre intérêt que vous parliez. Vous venez d'avoir un petit échantillon des moyens de persuasion dont nous disposons ; ceci n'est que de la broutille comparé à ceux qui seront employés au cas où il s'obstinerait à garder le silence. Soyez plus intelligent que lui et épargnez-nous de vilaines besognes…

Beau petit discours, n'est-ce pas ?

Pour moi, because mon étoupe dans les cornets, ça n'a été qu'un faible murmure, mais j'ai cependant pigé chaque mot.

— Olga, lui dis-je, si Dieu vous prêtait vie, ce qui m'étonnerait avec le métier que vous faites, je pense que vous finiriez dans la peau d'une dame patronnesse et que vous prononceriez des allocutions pour les distributions de prix !

Ça ne l'amuse pas.

— Ecoutez-moi, Tony, vous êtes un homme intelligent, vous, pas un utopiste. Vous comprenez parfaitement que vous êtes en notre pouvoir, tous les trois, et que seul un miracle peut vous sauver. Ce miracle se produira si vous nous aidez. Personnellement, vous n'êtes pas concerné dans le problème qui nous occupe. Vous ne jouez qu'un rôle de témoin. Restez dans ce rôle et vous aurez tous les trois la vie sauve. A quoi bon prendre parti ?

Je lui vote un pauvre petit sourire anémié.

— Ecoutez, Olga, en effet, je ne suis pas concerné par tout ça et je n'ai pas à prendre parti, alors je vais vous révéler un truc inouï : Curt Curtis n'a rien à vous dire ! Il ne m'a pas fait de confidences, du moins pas d'autres que celle qui consiste à me dire qu'il ne comprenait rien à vos questions. Comme je m'étais aperçu qu'il y avait des micros dans les bouches d'aération de la cellule, j'ai fait semblant de recevoir sa confession afin que vous me convoquiez ici. Mon but ? Avoir une conversation franche et honnête avec vous autres. Curt ne sait rien. Alors moi, je vous pose à mon tour une question : que voulez-vous donc savoir ?

Olga allonge ses mains fines sur le faux cuir gris du bureau et contemple un instant ses ongles. Après quoi elle se lève et sort de la pièce en compagnie de l'homme aux lunettes noires. En voyant ce dernier debout, l'impression que je le connais est encore plus nette. Le couple reste out quelques minutes, puis rentre et chacun reprend la place qu'il occupait.

La jeune femme est plus grave, me semble-t-il, qu'avant de sortir. Une expression soucieuse plisse son front.

— Ecoutez, Tony, j'ai l'impression que l'affaire s'engage mal, me dit-elle, car de deux choses l'une, ou bien Curt vous a confié la vérité et vous refusez de nous la rapporter, ou bien il ne vous l'a pas dite, auquel cas il s'est moqué de vous en prétendant ne rien savoir.

— Mais tonnerre de Brest, dis-je, ému au passage par cette référence au port breton, si lointain, et que je devine alangui sous la pluie ; tonnerre de Brest, reprends-je avec véhémence, si vous me disiez un peu ce que vous souhaitez apprendre de lui, vous ne croyez pas que ça gagnerait du temps ?

Le Chinois – ou assimilé – chuchote quelque chose à son voisin aux lunettes noires. Ce dernier fait un signe de la main, le genre de geste qui veut dire « Minute » et l'homme au regard en forme de traits d'union n'insiste pas.

Olga reste silencieuse. Pour le coup, c'est moi qui insiste. Poilant comme la situation subit une curieuse renversée. Ces messieurs-dames constituaient un jury de tortionnaires pour m'extirper les vers du nez, et c'est moi qui poursuis l'interrogatoire. C'est moi qui tempête. C'est moi qui exige. Ah ! San-Antonio, je te reconnais bien là ! Diable d'homme, va ! ajouta-t-il en s'attendrissant sur lui-même car il était enclin à la bienveillance.

— Je ne sais pas quel jeu vous jouez, Tony ! laisse-t-elle tomber d'une voix détachée (à l'essence de térébenthine).

— Je joue à cartes sur table, ma jolie ! Vous prenez vos quatre vérités dans le paquet de brèmes et vous les étalez sur le tapis, facile, non ? Réfléchissez, je demande quoi ? Ce que vous attendez de Curtis. Si je le savais, pourquoi vous poserais-je la question ? Cela rimerait à quoi ? A gagner un peu de temps ? A quoi bon ? Tandis que si je sais ce que vous voulez, je peux l'interroger en conséquence et lui arracher la vérité. A vous de décider.

Elle se penche, regarde l'homme aux lunettes noires. Il fait un mouvement affirmatif du menton.

— Nous avons la preuve que Curt Curtis appartient à une nouvelle organisation dont l'idéologie est basée sur la défense des droits de l'homme…

— Ça ne devrait pas heurter vos propres convictions, gentille Olga, riposté-je.

Elle hausse les épaules.

— Il vaut souvent mieux avoir affaire à un ennemi acharné qu'à un velléitaire trop passionné, monsieur le commissaire. Je crois qu'il existe un proverbe qui dit : « Mon Dieu, protège-moi de mes amis, je me charge de mes ennemis. »

— Donc, murmuré-je, selon vous, Curtis aurait bel et bien eu partie liée avec les Vietcongs pour ramener son appareil piégé ?

— Exactement.

— Vous devriez le décorer, alors ?

Elle a un éclat sauvage dans la prunelle.

— Auparavant, nous aimerions avoir la liste des membres de son organisation, laquelle est d'origine chinoise !

Je pige. Un sourire intérieur m'inonde l'âme. Les Popofs ne veulent pas se laisser écarter du gâteau par les obscures manœuvres chinetoques. Pour contrôler la situation, ils tiennent à rafler toutes les cartes. Conclusion, le Nord-Viêt-nam est partagé entre deux tendances. C'est un peu la lutte à l'intérieur du camp rebelle.

— Les Américains ne se doutent de rien ? je questionne.

— Si, mais Curtis a nié à bloc.

— Qu'est-ce qui vous fait croire qu'il ment ?

— Nous le savons.

— Peut-être vous trompez-vous ?

— Non !

— Je connais Curt et je…

Olga frappe le bureau de ses jolies mains. Ça claque comme la lanière d'un fouet d'écuyer.

— Vous avez connu Curtis il y a plusieurs années, bien avant que ne se pose pour lui ce problème ; ignorez-vous que les hommes évoluent, San-Antonio ? Leur vie est malléable ; elle se disperse, elle se modifie. Un officier qui se met à penser est pratiquement perdu pour son pays. Curtis a subi des influences extérieures. Il a connu une Chinoise à San Francisco, une certaine Chou Poû Ri, taxi-girl dans une boîte de la ville. Il en est tombé amoureux, et cette fille qui était en réalité une espionne de la République Populaire, a usé de la passion qu'elle lui inspirait pour le gagner à sa cause ; vous voyez que nous sommes au courant de pas mal de choses.

— Je vois, Olga, je vois…

J'ai eu du mal à entendre, à cause des brins d'étoffe qui calfeutrent mes trompes d'Eustaches (de Saint-Pierre, portier habillé en bourgeois), heureusement qu'aucun bruit étranger ne vient troubler le débit d'Olga.

— Curtis ne vous avait parlé de rien !

— D'absolument rien, certifié-je avec d'autant plus de sincérité que c'est la vérité vraie. Maintenant, je vais avoir matière à discussion… Plus la peine de nous chambrer avec votre panoplie à la docteur Nô, ma chérie, il vous suffira d'écouter la retransmission qui va avoir lieu en direct de ma cellule.

— Nous allons entendre, en effet, dit-elle.

— Vous entendrez, du moins si Curt s'est remis de la piqûre que vous lui avez faite !

— Qu'est-ce que c'est que cette histoire ! proteste la jeune femme, nous ne lui avons fait aucune piqûre !

— C'est ce qu'il prétend. Il a même tourné de l'œil…

Elle se dresse, mauvaise :

— Voilà bien la preuve que votre cher ami vous ment ! clame-t-elle. C'est pour éluder vos questions qu'il feint l'évanouissement ! Il vous pigeonne comme il nous pigeonne nous-mêmes !

Je me sens tout chose. Qu'y a-t-il de vrai dans toutes ces giries, les mecs ? Vous avez une petite idée sur ce micmac maison, vous ? Moi pas !

Un bref instant d'incertitude. Le gnace aux besicles teintées fait claquer ses doigts. L'homme jaune s'approche de moi pour me débarrasser de ses appareils. J'en profite pour me dire que je pourrais jouer ma grande scène du III.

Ne serait-ce que pour faire plaisir à Bérurier.

CHAPITRE XI

Ce qui me décide c'est que, en même temps que le gars au regard en cade me dépincette les volets, le Russe blond, qui jusqu'alors n'a rien dit ni rien fait, se lève pour aller tirer les rideaux car la chaleur régnant dans la pièce est devenue suffocante.

Je constate alors qu'en deçà du rideau se trouve une large fenêtre ouverte. Et en deçà de la fenêtre la forêt commence. Avouez que voilà réunis deux éléments bien tentants. Lorsque le monsieur-bourreau en a terminé avec moi, il m'abandonne aux factionnaires.

Ils ont toujours la même formation, les Laurel et Hardy du convoyage. L'un se charge des menottes, tandis que l'autre le couvre en braquant son arquebuse dans mon panneau d'affichage.

Il se dit quoi t'est-ce, San-Antonio, mes poulettes ? Très exactement ceci : « Pour me mettre les menottes, il va falloir me détacher. S'il me détache la main droite en premier, j'aurai le temps de récupérer le tournevis dans ma poche pendant qu'il détachera l'autre. Ensuite, j'improviserai. » J'élève mon âme (nouvelle victoire du plus lourd que l'air) et je prie saint Antoine, et mon patron néanmoins ami de ne pas jouer au c… avec bibi. Par chance, sa ligne est libre et je l'ai au bout du sans-fil. Il prend ma commande illico. C'est donc bel et bien le poignet droit que le camarade gardien me détache. Tandis qu'il sectionne les lanières de cuir (de Russie), les quatre grands de l'aréopage constituent une réunion au sommet dans le coin le plus reculé de la pièce. Parfait. La conjoncture se présente bien. Ça risque de donner une séance d'accouchement sans douleur. Seulement, faut que la sage-femme (en l'occurrence la chance) y mette du sien.

J'ai donc le poignet droit libre. Je fais mine de laisser tomber mon bras sur ma hanche. Ma main se coule dans ma poche comme une vipère dans un tas de broussailles.

L'escogriffe délivre mon bras gauche. Maintenant, j'ai le tournevis en main, avant que d'avoir la situation. Je tiens la tige dans le prolongement de mon bras, tel le spadassin florentin préparant sa dague (à dague à dague tsoin tsoin). A la sauvette, je mate le mitrailleur. Il tient sa pétoire prête, mais il n'a pas l'influx nerveux. Toutes ces palabres auxquelles il n'avait pas à se mêler lui ont démobilisé le qui-vive, si j'ose dire (et comment que j'ose !).

Par conséquent, l'homme déterminé que je suis peut avoir raison de l'homme relâché qu'il est. La lutte du tournevis contre la Thompson ! Essayer, c'est l'adopter ; la couleur qui sort est la couleur gagnante ; faites vos jeux ; rien ne va plus !

Au moment où le mercenaire *number two* s'apprête à me passer les poucettes, je lui colle ma boule dans la gargouille, ce qui, vu la violence du choc, la vitesse du vent et notre position par rapport au méridien de Greenwich, l'envoie balader dans le parterre. Dans le même élan (comme disait un autre mammifère de la famille des cervidés), je saute sur le braqueur et je lui plonge la tige du tournevis dans le gras de son bras qui tient la mitraillette.

Ça lui fait lâcher son arquebuse. Ecoutez, mes drôles, je ne voudrais pas vous arquebuser, ni même vous abuser (seulement vous amuser) en estimant à une seconde virgule quéque chose le temps utilisé pour cet exercice de style (qui constitue en fait un exercice de stylet).

C'est bien simple : les quatre personnes de l'état-major n'ont point encore eu le temps de se retourner que, déjà, je fais un plongeon de goal par la fenêtre.

Je me reçois dans un buisson d'Haicrevysse à fleurs persistantes, je signe un accusé (levez-vous) de réception, et je fonce en zigzag vers la forêt qui non seulement est proche, mais en outre imminente.

Le meilleur des springbocks n'a jamais marqué un essai dans un style pareil. Deux soldats qui coltinent une cantine essaient de me barrer la route, mais je les dribble facile. C'est seulement lorsque j'atteins le couvert des arbres que la mitraillade éclate. Des pralines de fortes dimensions hachent les palmes d'or (qui ne sont pas celles du roman d'espionnage) autour de moi. Sans m'arrêter de galoper, je me convoque pour un entretien à huis clos, et je m'apostrophe. Je me dis très exactement ceci, sans y changer une syllabe : « Mon petit San-Antonio, tu viens de réussir la partie la plus délicate de l'opération survie ; maintenant il faut que tu fasses travailler tes méninges si tu veux que le baromètre reste au beau fixe. Ces enfants de fumelard vont entreprendre une chasse à courre à côté de laquelle celle du marquis de la Glotte Quiremonte aura l'air d'une partie de pêche sur les bords de l'Oise peinte par Manet. Tu ne connais pas d'autre jungle que celle de Paris et te voilà dans la Ménélas (comme disait Hélène) jusqu'au trognon. Si dans les dix secondes qui suivent tu ne trouves pas une idée de première, c'est la terre vietnamienne qui bénéficiera de l'azote qui te constitue si harmonieusement (j'ai le style ampoulé depuis qu'on m'a posé des ventouses). On peut se causer tout en cavalant ; y a bien des mecs qui ont des instruments gros comme des lessiveuses et qui jouent *Sambre et Meuse* en marchant !

Rapidement, la sylve s'épaissit. Les arbres se mettent en fûts, les lianes guirlandent de plus en plus bas. Une odeur opiacée monte de cette végétation qui serait exotique si elle poussait ailleurs qu'où elle se trouve (C.Q.F.D., et même C.Q. tout court, hein ?). Je pense que j'ai le choix entre : continuer de galoper dans la jungle (mais je n'ai rien d'un jungleur indochinois), ou me planquer. Je serais partant pour cette seconde alternative si je ne me disais que mes petits camarades ont sûrement des clébards à leur disposition et que les mignons cabots m'auront reniflé aussi vite qu'on renifle la présence de Bérurier dans un cinéma. Dans tous les films, et dans tous les bouquins traitant d'un fugitif coursé par des clebs, on voit celui-ci s'élancer dans un cours d'eau pour gommer sa piste. Il respire avec une paille, ou s'eaue[1] au milieu des joncs. J'en ferais bien autant, croyez-le, car je ne répugne pas à recourir à certains conformismes d'action : pourquoi faire la fine babouche quand on va à la mosquée ? Mais le hic, c'est qu'aucun cours d'eau n'a la bonne idée de passer par là. Je ferais bien du ruisseau-stop, seulement je risque d'attendre longtemps. Et comme, précisément, c'est le temps qui me fait le plus défaut, force m'est de trouver autre chose, et de le trouver immédiatement. Galopant à

1. Puisqu'il existe le verbe se terrer, pourquoi ne créerais-je pas le verbe s'eauer ? D'accord, il existe immerger, mais immerger signifie seulement plonger dans un liquide et exclut l'idée de dissimulation contenue dans se terrer.

en perdre sa laine, je me prends les nougats dans une liane plus traînante que les autres. Oh ! the gond idée. Je m'élance, me balance, me hisse, m'élève, me juche. Mais il serait vain de me croire hors d'atteinte sous prétexte que je me trouve dans les hautes branches d'un fisquier polyvalent. Ce que c'est beau ! On a envie de chanter *La flore que tu m'avais jetée* en trois couplets et un tombé. A quelques centaines de mètres de là, un remue-ménage éclate : coups de fusil, coups de sifflets, cris, aboiements, il y en a pour tous les goûts, pour tous les tympans. Fissa, San-Antonio ! Remue-toi le prosper, mon gars ! Ne pleure pas ton huile de coude ! Du cran, économise ton souffle, tu te goinfreras d'oxygène plus tard ! Je joue les Tarzan. Une liane ! Un élan ! Et hop ! je me retrouve dans un nouvel arbre. Une autre liane, un autre élan : et rehop ! Ainsi de suite… Je ne compte plus mes pirouettes. J'ai les mains en sang, le visage et le dos labourés d'estafilades ! J'ai dû parcourir une certaine distance ainsi. Le vacarme se rapproche. Cette fois, il s'agit de se tenir peinard. Justement, je me trouve dans les branchages touffus d'un pompidier panaché, cet arbre qui peut atteindre jusqu'à cinquante mètres de haut et six mètres de circonférence. Comble de bonheur, le tronc est creux. Je me love par une ouverture. *I love me.* C'est la première fois que je glisse une obole de cette nature dans le trou d'un tronc. Un écureuil dérangé se barre à toute vitesse tandis qu'une guenon au pelage cendré (c'est une mongolienne à tête chercheuse) me fait de l'œil et se cherche une puce pour me l'offrir. On ne vit pas assez près de la nature, nous autres citadins. On fait les mariolles, mais on ne connaît rien des habitants de nos forêts ou de nos halliers, on ignore l'odeur des feuilles pourrissantes, celle de la mousse humide et celle des champignons. Bonté divine, v'là que je me crois à Rambouillet ! Je reste immobile, logé dans ma cavité comme un ver dans son fruit.

Alentour, c'est un déferlement terrible. Deux chiens aboient férocement à l'endroit où j'ai quitté le sol pour tarzanner dans les branches. Mes poursuivants lâchent des rafales en l'air, dès qu'ils voient remuer. De pauvres macaques foudroyés, des oiseaux au plumage coloré s'abattent. Le cher San-A., lui, impavide, attend que ça se passe. Ces carnes ratissent consciencieusement. C'est une exploration méthodique ; pas un fourré ne leur échappe.

Ils savent entreprendre une battue. Leurs copains viets sont des malins, des rois de la jungle. Franchement, si je n'avais eu la veine de me loger dans un arbre creux, je me serais fait repérer par leurs yeux de hiboux.

Mais la troupe continue son exploration acharnée. Elle s'éloigne. Mon palpitant cogne si fort que ça doit résonner jusqu'au pied du pompidier. Je ferme les yeux. Le goût sauvage, jouissif, de la victoire me chavire. La seconde phase de l'opération « Taillons-nous » a également réussi. Vous le voyez, mes aminches : rien n'est impossible à l'homme déterminé. Il suffit d'avoir des tripes et d'oser, et de doser, et d'odes osées. La chance dont à propos de laquelle je vous causais primitivement, c'est une femelle qu'il faut conquérir. J'appuie mon front contre l'écorce éléphantesque. C'est rugueux, dur, solide. Quoi de plus merveilleux qu'un arbre ? Il nous donne des fruits pour nous rafraîchir, de l'ombre pour faire la sieste, des lits pour faire l'amour et des cercueils pour faire la mort. Je suis bien. Je l'aime. Aucune peau de femme ne m'a jamais paru plus agréable que cette peau d'arbre géant. Blotti dans son gros ventre, comme Jonas dans sa baleine, je récupère. Je me détends. Je réfléchis. Je communie avec la belle, l'indulgente nature.

*
* *

L'odeur puissante de la forêt me chavire. Je crois que ce sont les Purodoriférant-Cétacés à feuilles caduques qui reniflent le plus fortement. J'ai la dent, mes chéries. Sans vouloir jouer les Béru, je me cognerais bien un croque-monsieur ou un bouffe-madame, comme disait un ami à moi qui se masse à la turbe. Me voyant immobile, les animaux de la forêt s'enhardissent et viennent me visionner à bout portant. L'écureuil que j'ai initialement mis en fuite se permet même de vouloir me cloquer une noisette dans le baigneur en murmurant : « Une de plus pour cet hiver. » Quant à la gentille guenon, elle m'envoie des baisers et, comme je lui fais de l'œil, vient me faire bouffer une banane, ce qui est extrêmement obligeant de sa part, et tombe à point nommé. Les batteurs battent la forêt pendant une couple d'heures, puis, dépités, finissent par regagner leur base. Moi, vous me connaissez ? La prudence au sein de l'imprudence, toujours ! C'est pas parce que les recherches semblent avoir cessé que je quitte ma cachette. Au creux de mon arbre je suis bien pour voir venir. La fameuse chanson de Brassens me vient à l'esprit : « Est-il encore debout le chêne, ou le sapin de mon cercueil ? » Je trouve que c'est une des plus belles questions de la littérature, pas vous ?

Ça fait méditer… C'est l'image choc, celle qui remet l'homme sur les rails de la réalité d'où son orgueil le fait sortir trop souvent.

« J'aurais jamais dû m'éloigner de mon arbre », fredonné-je… Le temps s'écoule ; la nuit vient. Les frondaisons noircissent. Il y a d'autres cris, d'autres rumeurs profondes, d'autres senteurs enivrantes… La forêt se fait hostile. Pour lors, l'étonnant San-Antonio, celui qui a trouvé le moyen de gagner un maximum d'argent avec un minimum d'idées ; l'homme qui est capable de se coucher tôt avec une dame qu'il ne connaît pas et de se lever tard avec une dame qu'il connaît bibliquement ; l'intrépide San-Antonio qui peut mettre un type K.O. aussi vite qu'il peut le faire cocu ; San-Antonio, l'enfant chéri des foules en délire (à force d'en remettre, il finira bien par en rester quelque chose !), San-Antonio sans qui l'œuvre de Frédéric Dard ne serait que ce qu'elle est ; San-Antonio le bien-aimé, le bien nommé, se prend à part et se demande comment il va enchaîner son destin. Le chopera-t-il par les oreilles ou par la queue ? Lui fera-t-il une clé aux pattes, une Cléopâtre ou bien le blousera-t-il à la sournoise ? Car, enfin, l'unique solution raisonnable c'est de fuir, convenez-en ou allez vous faire ausculter le fondement par un manche de truelle. Je dois profiter de la noye pour me débiner. La jungle est hostile, pleine d'embûches de Noël. Le Viet plus ou moins Gong rôdaille dans les fourrés, l'arme au poing, prêt à m'interpréter « Aspro la douleur s'efface ». Ils sont à l'affût (sur celui de leurs arbalètes). Une fléchette que je ne sentirai même pas arriver ! Et bonne bière, San-Antonio, ça c'est de la terre meuble ! Et je ne parle pas des pièges à congs disposés dans les sentiers sous bois dont je mâche les feuilles, comme disait mon ami Verhaeren avant d'aller prendre le train. Nonobstant ces graves, ces multiples dangers, je dois tenter de me tailler. Oui, seulement, mes deux copains sont aux mains des Russes, eux, et San-Antonio ne saurait sauver sa peau en oubliant celle de Bérurier au vestiaire. Alors ?

Je vous vois venir, les gars : pas futés, mais logiques à vos moments perdus. Vous vous dites pertinemment : « On le connaît, San-A ; on le sait qu'il va tenter l'impossible pour délivrer ses aminches. Ça serait plus notre crack maison, sans ça. Son blason rouillerait. Il deviendrait pas sympa, le Casanova de basse-cour. On le lirait plus, on le relirait encore moins (ou alors en peau de chagrin). Il se doit à sa légende et, qui plus est, à son public. Eh bien oui, mes petites tronches, je réponds à votre appel. Je vous ai compris. Il est là, San-A. Il répond présent ! Nous serons sauvés ensemble ou nous péririons ensemble, il y a pas de milieu (sinon à Pigalle et à Marseille).

Je me hisse hors de mon trou et me laisse couler jusqu'au sol. Les lianes, c'est lisse[1]. J'exécute des mouvements gymniques, comme chaque fois après une période d'engourdissement. Ça rétablit la circulanche et assouplit les nerfs. Je vais avoir besoin d'eux pour écrire les pages suivantes. Moi, San-A, tout seul et les mains vides, j'attaque un camp bourré de soldats en armes, et ce pour la deuxième fois dans la même journée. Un camp américain aux aurores, un camp russe au crépuscule. Avec juste mon courage et mon génie ! Comme complice, la nuit ! C'est peu. Comme doping, mon désir ardent de sauver des amis. Oh oui : tout mettre en œuvre pour les arracher à leurs tortionnaires. Cette idée me galvanise. J'en frétille comme un chien qui fait marcher son essuie-glace lorsqu'on le caresse. Et je me dis, du fond du cour : « En avant, San-Antonio. En avant ! »

Il me faudrait tout de même dans les mains autre chose qu'une poignée de vide ! La témérité, c'est beau, c'est grand, c'est généreux, mais par contre on doit se

1. A l'intention de ceux qui se souviennent encore d'Eliane Cellys.

gaffer de sa cousine germaine, l'inconscience. La lune vient de se lever. Elle bâille, tout là-haut, dans un ciel sans nuages, à s'en décrocher le Surveyor. Sa pâle clarté me découvre un boqueteau de bambous. Je m'en approche et je choisis le plus long, le plus fort. Je l'arrache et, m'aidant d'une pierre tranchante, je l'affûte consciencieusement de façon à me constituer une lance. Me v'là revenu à l'âge des cavernes, mes filles, moi qui étais plutôt conditionné pour celui des tavernes. Longtemps, au moyen d'une pierre rugueuse, j'effile la pointe de ma lance, comme on appointe une mine de crayon. Le résultat obtenu est formidable. Je viens de me fabriquer une arme redoutable. Certes, elle ne vaut pas une mitrailleuse lourde, mais elle présente l'avantage d'être plus silencieuse et ce détail, dans le cas présent, a son importance.

Mon javelot bien en main, j'avance, courbé en deux en direction du camp, plus félin que nos voisins, les tigres du Bengale. Tous les quatre pas je m'oblige à m'arrêter pour écouter et sonder la nuit. Je crains de me faire repérer par une sentinelle. Parvenu à une cinquantaine de mètres des bâtiments, je me couche derrière une touffe de cactus Picotus-Graducus, l'espèce la plus épineuse, vous ne l'ignorez pas.

Si je m'écoutais, je foncerais encore ; mais je sais me faire la sourde oreille quand la prudence l'exige. Je me rends parfaitement compte qu'avant de tenter quoi que ce soit, il me faut étudier la vie nocturne du camp. Que voilà donc une sage décision. Grâce à la lune et à mes talents de nyctalope, je finis par apercevoir, disposé tous les trente mètres environ, un guetteur couché. Pas dingues, les Popofs. Une sentinelle debout constitue une cible, ils le savent. Alors ils font coucher les leurs. Si j'avais fait deux pas de plus j'étais repéré.

Je possède sûrement un septième sens, c'est pas possible autrement[1].

Avec le manche de ma lance je coupe une pousse de cactus en forme de fourche, composée de cinq larges feuilles en i grec. Ensuite, je l'embroche de la pointe de mon arme. Doucement, je la place devant moi. Elle constitue un bouclier naturel derrière lequel je peux me dissimuler à condition de ramper très bas. Il s'agit dorénavant de progresser avec une lenteur extrême afin que les factionnaires ne s'aperçoivent pas que ce cactus est mobile. Les touffes de cactées sont nombreuses alentour et leurs ombres familières aux guetteurs vont m'aider à endormir leur attention.

J'ai repéré l'un d'eux et, comme il n'a pas de bol, c'est sur lui que je repte. Je ne sais pas ce qu'indiquent nos horoscopes du jour, à lui et à moi, mais je pense intimement que l'un des deux est à foutre dans les gogues.

J'avance toujours ; si lentement que je suis à peine sûr de progresser. Je deviens souche de bois, cactus à mon tour. Et, pourtant, la distance diminue, qui me sépare de la sentinelle. Bientôt, je peux voir son casque et les reflets de sa carabine.

Encore une dizaine de mètres. Faut les faire ! Je m'applique à tenir la touffe de cactus bien droite. Dans ce pays où la guérilla utilise toutes les ressources de l'imagination, les ruses de ce genre sont monnaie courante. Je sais que si le soldat a le moindre doute, il défouraillera recta. Je continue, tout mon être tendu ; pas un poil de ma poitrine qui ne participe pas à l'opération ! Je gagne encore cinq mètres.

1. Je fais exprès de passer mon sixième sens sous silence : il est d'ordre purement privé.

A travers la fourche constituée par les feuilles de cactus, je vois très nettement l'homme. C'est un Viet dont le visage jaune et large brille de sueur. La nuit est étouffante, je le répète, et mes hardes sont collées à mon corps. Le voici arrivé, l'instant décisif où la confrontation de nos deux horoscopes va s'effectuer. Je dois neutraliser la sentinelle d'un seul coup et sans bruit pour ne pas attirer l'attention de celles qui continuent la chaîne de surveillance.

Allons : encore deux mètres, San-Antonio, et tu auras ta chance. Je mets près d'un quart d'heure pour les parcourir. Je me déplace millimètre par millimètre. Cette fois, je suis à distance convenable. Immobile, je fais progresser la plante grasse, chaque fois que le factionnaire regarde dans une autre direction. Avez-vous assisté déjà à des corridas ? Oui, je pense, du moins au cinématographe. Vous avez frémi, comme tout le monde à la minute suprême, lorsque le torero dressé sur la pointe des pieds s'apprête à plonger l'épée recourbée dans le cœur de l'animal. La tête inclinée, le bras pareil à une flèche posée sur la corde tendue d'un arc, il vise. C'est l'instant de vérité. Le destin de l'homme et celui de la bête se croisent, se confondent un instant. Ils sont en suspens dans l'air capiteux des arènes. A cette minute, je me fais l'effet d'être le toréador sur le point d'estoquer. Mais en face de moi, au lieu d'un taureau, un homme. Un homme qui ne m'a rien fait et pour lequel je ne nourris aucune haine.

Un homme qui entrave ma route et que je vais essayer de supprimer avant qu'il ne me supprime. Je vise de mon mieux, longuement, jusqu'à ce que le tremblement de ma main se dissipe et qu'elle devienne dure et insensible comme cette tige de bambou. Et puis tout se déroule sans que j'aie plus à le décider. J'agis en état second. Mes muscles obéissent à ma volonté alors qu'elle a cessé d'être effective. Comme le cerveau électronique d'un robot a enregistré un ordre et l'exécute, mon corps hypertendu accomplit mon dessein. J'ai un rush terrible, de félin. Le plus moche, ce sont les sons dans ces cas-là.

Il y a un bruit hideux de vessie crevée. Un début de plainte escamotée. Et c'est le silence, une fraction d'infini solidifié sous la lune. Enfin, la rumeur de la nuit reprend, avec ses insectes, ses frissons étranges, le chuchotement des branchages, les cris désemparés d'animaux inconnus dont on devine la présence furtive. Je lâche mon bambou planté dans la gorge de l'homme. C'est un trait d'union effroyable. Il me communique par ses vibrations l'agonie de ma victime. Je crois que c'était son horoscope qui donnait de la bande.

Je rampe jusqu'au soldat mort. Je ne pense pas qu'il ait souffert. Tout cela a été si fulgurant ! Il n'a pas eu le temps de comprendre ce qui se passait. La mort qui le guettait a bondi en lui et l'a dévasté en un éclair. Je m'empare de son fusil. Y a pas à dire, c'est tout de même mieux qu'une canne de bambou. Je coiffe son casque. Un peu justet pour ma tronche, mais ce qui compte c'est la silhouette. Un fusil à l'épaule et un casque sur la bouille, de nuit j'ai la découpe d'un militaire. Je gagne l'abri d'un baraquement, puis je me dresse. Allons, te voici au cœur de la place, San-Antonio. On dirait que ça se passe plutôt bien. M'est avis que mon ange gardien a pris l'avion suivant pour me rejoindre. Maintenant il est à pied d'œuvre. On fait du bon boulot, lui et moi. Je me repère. Le camp est silencieux. Quelques lumières brillent dans certains baraquements, mais les artères sont vides. Je me dirige vers le bâtiment servant de prison. La porte est grillagée, à cause des bestioles folâtres. Comme l'endroit pèche par la ventilation, les zigs de l'intérieur s'aèrent comme ils le peuvent. A travers les fines mailles du grillage, je peux admirer l'intérieur du poste. Sur deux lits de camp : deux dormeurs. A la table, deux factionnaires éveillés jouent aux cartes.

Comment feriez-vous, vous autres, pour prendre d'assaut ce bastion ? Pas commode. Si je pouvais défourailler, en quatre pralines je me paierais les gardes, seulement ce serait du suicide. Autant tirer illico un feu d'artifice. Alors ? Alors San-Antonio farfouille dans sa giberne pour trouver une boîte d'astuces. Je me plaque contre le mur et, du doigt, je gratouille le grillage en imitant le cri du caméléon en rut. Je vois que les deux joueurs de cartes tendent l'oreille. Je répète mon manège de façon à leur faire accroire qu'une bête veut pénétrer chez eux. L'un d'eux finit par poser ses brèmes et radine aux nouvelles. Je me jette en arrière, la crosse de mon flingue haut levée. L'homme défait le crochet de la lourde et passe la tête à l'extérieur. C'est sa fête ! Ah ! les jolies vacances, merci papa, merci maman. Il efface un de ces coups de buis qui comptent dans la calcification d'un crâne ! Le v'là par terre. Je ne perds pas de temps à compter dix ou à prendre sa température. En trois bonds j'arrive à la table où le second batteur de cartons attend en matant à la sauvette le jeu de son adversaire. C'est pas joli de tricher. Je le lui fais comprendre en lui balancetiquant un nouveau coup de crosse en pleine poire. Il a le portrait qui se modifie instantanément. Ça se tuméfie, ça violit, ça pisse le sang. Zozo la Belote est groggy. Mais le plus rigolard, mes chéris, c'est que j'ai agi avec une telle célérité que les deux autres soldats dorment toujours à poings fermés. Ne jamais frapper un ennemi endormi. Le paragraphe 34 bis du manuel du parfait homme d'action est formel sur ce chapitre. Je m'approche donc du premier dormeur et le secoue. Le gars se dresse, le regard passé au laminoir. Je le rendors d'une manchette formide sous la mâchoire. Ça fait craquer sa mâture et il s'abat (comme un samedi juif) sur son pucier. Même régime pour le second julot. De la crème, mes fils ! Du billard (japonais) ! Tel que je suis parti, si on me laissait faire, je gagnerais la guerre à moi tout seul.

Cette fois, il s'agit de se remuer le prose. Verrou ! Reverrou ! Clé ! Gonds ! Ça grince ! Bonsoir, messieurs ! Ils sont là, tous les deux, Béru et Curt. Assis tristement sur leurs dodos. Pâles, cernés, affaiblis, anxieux. Je pose un doigt sur mes lèvres, biscotte les appareils perfides qui moulinent leur converse et je leur fais signe de me suivre. Vous parlez qu'ils se le font pas répéter deux fois, ni en braille, ni en hindoustani.

En cahotant un peu des amortisseurs, ils se pointent dans le poste de garde et je désigne à chacun d'eux le râtelier d'armes. Faut les voir sauter dessus comme la chtouille sur un équipage de Marines. Béru se saisit d'une mitraillette et Curtis d'un colt grandeur nature. Tout de suite on se sent moins seul. Vous ne pouvez pas savoir comme, dans certaines circonstances, ça tient compagnie, des appareils à distribuer les tranquillisants définitifs.

— Bravo, mec, déclare le Gros, radieux, je te vote les félicitations du jury à l'unanimité. J'enregistre l'hommage, mais la tâche qui nous attend est ardue, car il s'agit maintenant de filer d'ici et de traverser la jungle. J'ai de plus en plus l'estomac dans les talons. Je sens venir le moment où mes jambes vont composer un « x » parfait. Bast, comme on disait au siècle dernier, je m'alimenterai plus tard. Le véritable homme d'action ne doit pas avoir de ces soucis, ou alors ceux-ci sont des cadets.

Avant de vider les lieux, j'hésite à enfermer les quatre estourbis dans la geôle. Mais je décide qu'à cause des micros dont celle-ci est truffée cela ne servirait de rien car ils pourraient aussi bien donner l'alerte. Ce qu'il faut, c'est gerber en vitesse, sans trop se préoccuper du temps qu'il va faire.

— Je vais marcher devant, fais-je à mes amis. Vous autres, imitez-moi en tout point. Il s'agit de franchir un cordon de factionnaires. J'en ai assaisonné un, et c'est par la même brèche qu'il nous faut filer.

Silencieux comme des ombres (oh, la belle métaphore) nous rebroussons à trois le chemin que j'ai emprunté seul (faut avoir opinion sur rue pour se permettre de telles tournures de phrases, non ?).

Nous marchons, courbés en deux, dans les zones obscures. Il y en a de plus en plus, vu que des nuages s'accumulussent devant la lune. Je me repère dans le camp, zigzague entre les bâtiments, cours d'un arbre à l'autre, surveille le comportement de mes deux lascars.

Tout fonctionne bien, mais voilà-t-il pas qu'une sirène se met à ululer comme une perdue dans le silence nocturne ! On dirait une corne de brume. Elle parle du nez ! Son grand cri geignard et féroce s'enfle, s'enfle, balayant le sommeil, secouant la léthargie ambiante, faisant se multiplier les lumières.

— Hé, Gars, me chuchote le Gros, t'as pas l'impression qu'on l'a dans le…

Je n'entends pas la fin de sa phrase, biscotte une recrudescence de la sirène, et je ne saurai jamais ce dont parlait Béru, ni ce où donc on devait l'avoir.

CHAPITRE XII

Quand j'étais chiare, je donnais toujours mes sucres d'orge aux copains, ce qui faisait dire à mon entourage que j'étais « trop gentil » et qu'un jour « ça me perdrait ».

M'est bien avis, les z'enfants, que ce jour funeste est arrivé. Si j'avais buté les gardes au lieu de seulement leur colmater les chicots à la crème de marron, je n'en serais pas là. Ça nous aurait laissé le temps de nous carapater et on jouirait d'une vue imprenable sur l'avenir. Au lieu de ça, on a, comme qui dirait, notre date de naissance et notre date de décès qui sont en train de joindre les deux bouts.

Ils avaient pas dû se gaver de somnifère, les habitants du camp, car en moins d'un et demi, tout le monde est sur le pied de guérilla. Ça fourmille sec, d'un bord à l'autre de la coquette station balnéaire. Je me dis que si on ne tente pas un dernier « petit-quéque-chose », on va avoir droit à la retraite d'escadre aussi sec et donner de quoi se goinfrer aux asticots vietnamiens. Bye bye tout le monde. Fallait bien que ça arrive. Je sais que je ne regrette rien. Ce que j'ai vécu m'a suffi pour comprendre que l'homme n'est pas un loup pour l'homme, mais seulement une illusion. Les autres, ça n'existe pas.

C'est une impression que chacun a, et qu'il entretient pour se sentir moins seul. Un champignon sur du fumier, chaque homme. Qu'est-ce que c'est qu'un champignon ? Un végétal sans chlorophylle ; nous aussi !

N'importe, il faut lutter, pour le sport. On va pas se laisser faire le coup du berger, comme aux échecs, sans réagir, sans déplacer ses pions, des fois ! Béru c'est ma tour, Curtis, mon dingue, et moi je suis la reine des pommes. Avec trois pièces aussi maîtresses, on n'a pas le droit de se laisser bloquer le barbu sans se rebiffer.

Pour l'instant, nous nous trouvons contre un baraquement. D'un signe j'intime à mes compagnons l'ordre de se coucher.

Ils m'obéissent. La porte du gai logis s'ouvre au même instant. Un grand rectangle de lumière orangée tombe sur le sol et la silhouette de la môme Olga se découpe dans l'encadrement. Rigolard, tout de même, que nous nous trouvassions pile devant sa cambuse ! La môme a enfilé une robe de chambre à rayures saumon, en tissu éponge, ses magnifiques cheveux sont liés par un large ruban blanc. Elle s'avance hors de sa crèche vers une zone éclairée où des militaires vietcongs s'affairent. La môme s'adresse à eux en anglais et leur demande ce qui se passe. Un zigoto au parler nasillard lui répond que les deux autres prisonniers viennent de s'évader. Moi, vous me connaissez ? Je sais prendre le temps comme il vient, les femmes par où ça leur fait plaisir, et la chance par les cheveux. Je calcule que notre seule possibilité de ne pas être queutés au cours de la battue qui se prépare, c'est de nous planquer à l'intérieur des bâtiments, puisque c'est à l'extérieur qu'on va nous courser. Un nouveau petit signe à mes coéquipiers pour les alerter et, plus furtif que le lézard des sables, je me faufile dans le cabanement de Mam'zelle Olga.

L'honorable Alexandre-Benoît Bérurier et son camarade de détention m'imitent. Nous voici donc dans une espèce de maisonnette préfabriquée qui, comme la prison (tous les locaux sont bâtis sur le même mot d'aile) comporte deux pièces. La première – qui est aussi la plus grande – sert de salon-kitchenette, la deuxième – qui est de surcroît la seconde – de chambre à coucher (et de chambre à accoucher lorsqu'on l'utilise dans une maternité). Je m'y précipite de ma démarche otarienne.

Les chevaliers de la belle en font tôtant. Tous les trois, en parfaits pieds nickelés que we are, nous nous coulons sous le lit de fer. On a les targettes qui dépassent de l'autre côté, mais l'essentiel est d'être invisibles depuis l'autre partie du baraquement ; vous ne pensez pas ? Non, jc lc vois à vos bouilles sinistrées que vous ne pensez pas ! Vous bonnir des aventures, c'est kif-kif lancequiner dans un Stradivarius. Vous avez Saint-Saëns et vous ne donnez pas cygne de vie, mes pauvres biquets ! Du train où ça va, vous allez canner sans savoir que vous avez vécu. Tant pis, je poursuis quand même. Un stoïcien, votre San-Antonio.

On demeure dans la formation sardines à l'huile, sans broncher, à attendre la suite des événements. Dehors, ça gesticule vilain, moi je vous lc dis. Au pas de course qu'ils se remuent le prose, les camarades sovietcongs. Et ça gueule dans le landerneau, comme disent les Bretons. Y se causent de l'air du pays, entièrement en vietnamien, c'est-à-dire de bas en haut (du moins je crois). Les chefs promettent aux sous-chefs qu'ils les feront bonzer pour le cas où on ne nous retrouverait pas, et les sous-chefs jurent à leurs hommes qu'ils auront de gros ennuis hématuriques… Quelques instants (j'ai oublié de compter le nombre d'instants, mais je sais qu'il y en a plusieurs) plus tard, Olga revient et ferme sa porte. Une veine qu'elle habite seule, la chérie. Elle donne un tour de clé et vient dans la chambre. Au lieu de se pointer vers le lit elle dénoue sa robe de chambre et la laisse tomber à ses pieds.

Je sens la pomme d'Adam du Gros qui commence à yoyoter d'émotion. Nos souffles se précipitent. Si *miss* Olga continue ses exhibitions, son plumard va se soulever, mes fils, c'est couru. Elle passe dans sa douche dont elle tire le rideau transparent. La flotte commence à gicler, du pommeau et dégouline sur son corps bronzé. Elle forme une cascade entre les seins. Elle perle dans le creux de ses hanches. Se perd dans des zones frisottées pour réapparaître… Ce que c'est beau ! Ce que c'est grand ! Ce que c'est noble ! La transe ! Ah ! la belle sirène dont nous aimerions devenir les tritons (ce qui n'est qu'une image, vu que le triton, lui, est un batracien à la queue aplatie).

Elle offre son visage, ses épaules, ses seins, son ventre, ses cuisses, ses fesses à l'averse cinglante. On se croirait dans un film nouvelle vague, parole ! A Godard noble but ! Je sors de ma planque et m'installe sur le lit. On est bigrement mieux par en dessus que par en dessous.

Le Gros et Curtis restent assis par terre, le dos à la porte de communications (ce qui interrompt celles-ci avec l'extérieur).

Lorsque la belle espionne s'est bien aspergée, bien rafraîchie, elle fait coulisser le rideau. Elle reste coite dans son tub. Son regard stupéfait va de l'un aux autres. Et puis elle a le geste de Phryné pour se masquer l'essentiel.

— Soyez pas effarouchée, Olga, lui dis-je, on est entre nous : votre mari, votre amant, et un vieil ami de la famille ; vous ne risquez pas grand-chose…

Elle est ruisselante d'eau et de questions, mais elle s'abstient d'éponger l'une et de poser les autres.

— Voyons, Béru, interpellé-je, qu'attends-tu pour passer sa robe de chambre à mademoiselle, tu ne vois pas qu'elle est extrêmement douchée ?

— Tout ce qu'il y a de volontiers, s'empresse l'ahaneur qui, avec une galanterie bien française et des gestes frôleurs, aide Olga à nous sevrer de sa nudité.

Une fois protégée de nos regards concupiscents, la jeune femme retrouve son aplomb.

— Bien joué ! approuve-t-elle en s'asseyant dans un fauteuil d'osier. Je n'ai jamais vu un garçon plus audacieux que vous, Tony.

— Merci du compliment, Olga ; venant de vous, il me va droit au cœur, avec escale dans les régions kangouriennes.

Elle rit, me file un regard savonneux et murmure :

— Cela étant dit, je ne vois guère comment vous pourriez vous en sortir.

— Une confidence en valant une autre, ma jolie, je ne le vois pas très bien non plus...

— Alors ? demande-t-elle en allongeant la main vers une table basse où se trouve un coffret à cigarettes.

— Alors ne faites pas un geste ! lui dis-je sèchement.

— Je n'ai pas le droit de fumer ? demande la ravissante.

— Béru ! veux-tu regarder ce que contient ce coffret, ordonné-je.

Le Gros se grouille. Il soulève le couvercle de la boîte et pêche dans celle-ci un aimable revolver à crosse de nacre.

— La petite demoiselle ne fume que des Beretta de jeune fille, fait-il en empochant l'arme. Puis il administre une solide paire de baffes à la donzelle.

— Tu commences à nous avoir assez fait de bobo comme ça, gamine, lui dit-il. Si tu te tiendrais pas rigoureusement peinarde, je me regarderais dans l'obligation de faire ton malheur, tu piges ? Je rigole plus, j'ai les lèvres enflées.

A sa voix, on devine son déterminisme. Le sourire d'Olga s'éteint.

— Vous ne pouvez pas vous en sortir, affirme-t-elle, c'est IMPOSSIBLE !

Je m'approche de l'unique fenêtre et je soulève les lames du ressort californien afin de regarder dehors. Le tohu-bohu est à son comble. Pour le moment il me paraît impossible de risquer une sortie. L'espionne qui a observé mon manège me dit, lorsque je me retourne :

— Vous voyez bien ! Vous feriez mieux de vous rendre !

— Et puis quoi encore ? s'indigne Sa Majesté, allez-y, je prends les commandes !

Je préfère mourir plutôt que de me rendre, affirme Curtis qui, jusqu'ici, n'a rien dit.

— On vous a servi à bouffer, ce soir ? demandé-je au Gros, histoire de revenir à des préoccupations plus terre à terre.

— Des clous ! fulmine-t-il. J'ai l'estom' qui ressemble à une vieille blague à tabac.

— Alors va regarder dans la pièce voisine si tu trouves quelque chose de comestible.

C'est le genre de missions pour lesquelles il est toujours volontaire, mon Nounours. L'assaut du garde-manger, c'est sa spécialité. Il s'y est tellement illustré qu'après lui, on donnera sûrement son blaze à une marque de nouilles ou de gorgonzola. L'ami des réfrigérateurs, Béru ! Leur visiteur du soir !

Je l'entends fouiller les placards de la kitchenette en

maugréant. Il revient, l'oreille basse, avec un paquet de biscottes, deux tubes de lait concentré et des bouteilles d'eau gazeuse. Il déplore le manque d'organisation de notre hôtesse. Selon lui, la jeune femme moderne doit avoir un jambon en réserve, des boîtes de cassoulet, quelques saucissons à l'ail, un peu d'andouille et des œufs. L'imprévoyance est la grand-mère maternelle de tous les vices. Tout en protestant, il nous fait des tartines de lait. C'est assez écœurant, mais ça nourrit. Les chicots du Mastar croquent les biscottes avec un bruit de con-casseur.

— Comment que tu t'y es pris ? questionne mon ami, la bouche pleine.

Je lui raconte mon évasion : le coup de tournevis, la fenêtre ouverte, la jungle, l'arbre creux, la lance de bambou.

— Tu es un type formidable, me dit Curtis.

— Faut pas se plaindre, renchérit Bouboule. Suppositionnons qu'on parvienne à sortir du camp, tes projets c'était quoi t'est-ce ?

— Eh bien voilà, dis-je, nous avons réussi le tour de force de nous mettre à dos les sudistes et les nordistes, les gens de l'Ouest et ceux de l'Est, on s'est pratiquement fermé les quatre points cardinaux.

— On est pour ainsi dire les tricards du concile aux culs-bénits, plaisante le Mahousse.

Je lui sais gré de sa boutade. Les bons mots de Sa Majesté (je devrais plutôt dire « ses Vermots ») ont le rare pouvoir de conjurer les calamités. Le sort ne peut rien contre l'homme qui plaisante. Ça lui fait lâcher prise, une contrepèterie ou un calembour. Il renonce à sévir, le sort, comme un prof dérangé mais amusé par une boutade d'élève. C'est aux penseurs qu'il arrive des turbins, pas aux rigolos. Faut comprendre : le penseur, puisqu'il pense, il est triste. Quand on pense, c'est toujours triste. Un homme triste est plus vulnérable qu'un homme joyeux. La tristesse, c'est le froid de l'âme. Le type qui a froid chope les maladies, recta.

Ayant ri, je poursuis :

— Si nous parvenons à quitter le camp, notre seule chance est de traverser la jungle en direction de l'Ouest jusqu'à ce que nous ayons franchi la frontière laotienne. Une fois au Laos, nous gagnerons Vientiane, la capitale où se trouve un consulat de France qui nous rapatriera.

— *Well*, approuve Curtis. Tu crois que j'aurai droit moi aussi à un billet pour Paris, Tony ?

— Si vous n'y avez pas droit, vous pourrez toujours faire appel aux membres de votre organisation, Curt, déclare Olga.

— Oh, pour l'amour du ciel, cessez vos tracasseries ou je vous écrase comme une punaise ! gronde l'officier. La plaisanterie a suffisamment duré...

Olga va pour rétorquer, mais je les fais taire d'un péremptoire claquement de doigts. J'ai pas envie qu'ils attirent l'attention avec leur différend dont je finis par avoir classe.

Et puis j'ai besoin de silence pour ouïr le gars Bérurier, lequel me chuchote quelque chose à l'oreille. Que me dit-il, le bien cher homme ? Quelle idée filandreuse vient le tourmenter pour qu'il tienne *immediately* à me la virguler dans le couloir en colimaçon ?

— Ecoute, mec, au lieu de se faire la sortie périlleuse et la traversée de la jungle pédérastement, tu crois pas qu'on pourrait profiter de ce qu'ils sont en train de jouer la *Prise de Fort Apache* pour récupérer le coléoptère dont avec lequel ils nous ont emmenés ici ? Ton pote Curtis est un pilote d'hors ligne, non ?

Brave Béru ! Cher A.-B. (Alexandre-Benoît) ! Il a

raison. Cette effervescence qui règne autour du camp peut, doit nous aider.

On va se tailler de *l'intérieur et non de l'extérieur !* O lumière admirable, jaillie de la matière grise béruréenne, comme le Rhône des glaciers bleus du Saint-Gothard ! O esprit phosphorescent qui, au milieu de la nuit hostile, nous guide vers les rivages obscurs du salut ! O astuce poulardière enfantée par ce primate à station verticale et au langage articulé ! Magicien des abîmes ! Spéléologue de la ruse ! Astronaute de la combinaison ! Toi dont le ventre ressemble au mont Ventoux et l'intelligence à une fosse septique. Toi qui manipules l'andouillette sans fourchette et la couennerie sans pincettes, sois récompensé pour tes suggestions radieuses ! Que la terre tout entière forme ta garde d'honneur ! Que l'eau purifiante des baptêmes redonne à tes pieds sales l'éclat du neuf ! Oui, tu l'auras ta revanche, tu seras mon dernier échanson ! Comme je t'aime, Bérurier ! Comme tu me satisfais ! Comme tu me combles ! Comme tu communiques à tout mon être la joie pathétique et suprême des aboutissements. Merci, ami de toujours !

Je lui donne une caresse qui l'écarlate.

— Bravo, Gros. Tu viens de tracer la route.

— On peut connaître ? demande Curtis.

— D'autant plus volontiers qu'on ne peut rien faire sans toi, dis-je. Il s'agit tout simplement de rééditer le coup de ta précédente évasion, petit canaillou.

— C'est-à-dire ?

— La fugue en hélicoptère. Il a un pâle sourire.

— Pourquoi pas ? Ce serait amusant si ça réussissait.

— Pas de conditionnel, Curt ! Lorsqu'on se lance dans une entreprise (de tabac râpé) aussi audacieuse, il faut bannir de son esprit l'idée d'échec.

— Je suis curieuse de savoir comment vous allez vous y prendre, Tony, roucoule la jolie bergère.

— Justement, vous allez le savoir, Olga. Habillez-vous !

— Quoi !

Le Gros qui a besoin d'exercice la fait morfler à nouveau en disant :

— T'obéis et t'écrases, gosse. On peut pas se permettre de discutailler dans la conjonction présente avec une mémé de ton acabit.

Alors, que voulez-vous : elle obéit.

La nuit, je vous le répète, c'est la silhouette qui fait l'homme (en anglais, *the man*). Le gars bibi, avec son casque et son fusil, a l'air d'un militaire habillé en soldat. La nuit, tous les troufions sont gris (quelquefois ils sont complètement noirs d'ailleurs). Je vais d'un pas énergique jusqu'à la prison, me rangeant parfois de côté pour laisser foncer une chignole tout-terrain lancée sur le sentier de la guerre.

Mon objectif ? Il est minime en apparence : essayer de dénicher deux casques afin que mes joyeux coéquipiers aient à leur tour des découpes de soldats.

J'arrive sans encombre à la geôle. Etant donné qu'elle ne recèle plus de prisonniers, elle n'a plus du tout l'air d'une prison. Le poste de garde est vide car, si la fonction crée l'organe, l'absence d'organe supprime par contre la fonction. C'est un truc que mon vieux copain Maxime (dit de La Rochefoucauld) a dû noter avec sa pointe Bic dans un coin de ses carnets. La porte grillagée est entrebâillée et on a éteint les lumières. Dans le fond, l'endroit le plus parfait où nous cacher, ce serait cette taule. Les camarades sovietcongs nous chercheraient partout et ailleurs avant de regarder ici. Pourtant, beaucoup d'oiseaux de volières reviennent dans la cage qu'ils sont parvenus à quitter, et on a vu des tigres regagner leur base après qu'un accident de la route eut démantelé leur ménagerie à roulettes. J'entre donc céans et y trouve ce que j'y suis venu chercher ; je fais en outre l'emplette de deux flingots, bien que mes potes possèdent déjà des armes. Ça ramone drôlement dans le patelin. M'est avis que les Rouges tournent au vert. Une évasion aussi spectaculaire, effectuée en deux temps (et presque trois mouvements), ça crée des complexes. On doit perdre le moral du vainqueur en puissance lorsque des petits dégourdoches vous jouent la fille de l'air de cette manière.

Des groupes passent au pas décadent cadencé. On met des projos en batterie. Leurs faisceaux puissants promènent des lambeaux de jour sur la jungle endormie, réveillant les bêtes diurnes dont les cris affolent les bêtes nocturnes. C'est à vous dégoûter d'être hibou, ces groupes électrogènes ! Comme les nordistes recherchent trois hommes, hors du camp, ils ne regardent pas un homme seul à l'intérieur de celui-ci. Je causerais russe ou vietcongien, je pourrais presque tailler une bavette avec eux sans qu'ils eussent le moindre soupçon ; c'est pourquoi je rejoins l'*Olga's house* aussi aisément que je l'ai quittée. Notre hôtesse est habillée et l'ami Curt s'est offert le luxe d'une douche reconstituante. Je distribue casques et fusils à mes deux aminches. Ensuite de quoi, dopé à bloc par la frénésie de l'action, je m'approche de la belle espionne en faisant tourniquer le colt fauché par Curtis au bout de mon index. Je dois faire un peu Gary Cooper ainsi. Ne jamais craindre de chiquer aux héros de l'écran, mes amis. Qu'on le veuille ou pas, ça fait toujours de l'effet, même aux gonzesses les plus blasées.

Elles ont beau être nihilistes, l'image hollywoodienne conserve à leurs yeux toute sa magie.

Je la fixe bien intensément pendant un bout de temps, et puis, calmement, avec même des inflexions mutines, je lui déballe le coquet discours ci-dessous :

— Olga, mon enfant jolie, nous avons vécu ensemble une aventure assez palpitante, pleine de renversées, de coups de théâtre et de passion. Elle n'est pas encore terminée. Mais ce que je peux vous dire, c'est qu'elle s'achèvera de la même manière pour vous que pour nous. Ou bien nous atteignons le Laos, et alors on vous dit bonsoir sans rancune, ou bien on a un pépin, et aussi vrai que je suis le flic le plus intelligent de l'après-guerre, je vous file un chargeur dans la carrosserie avant de coiffer ma propre auréole. D'ac ?

Elle lit ma détermination dans mon regard blanc à force de fixité.

— Et au cas que t'aurais un empêchement de faux mangeur, c'est bibi qui te jouerais les estra, mec, assure Bérurier le Disponible.

Curtis libère un petit sifflement très sec.

— Erreur, *my boy*, ce serait moi !

— Comme vous le voyez, reprends-je à l'intention de la jeune femme, votre chance de survie serait vraiment mince.

Elle bat des cils.

— Prêts ? demandé-je à la ronde.

— Ben voyons, répond le Valeureux en coiffant un casque qui, immédiatement, fait ressembler sa tronche à un énorme bouchon de champagne.

CHAPITRE XIII

Nous adoptons la formation suivante ; je marche aux côtés d'Olga et mes potes suivent en file indienne. Nous nous efforçons de prendre une allure cadencée. L'espionne ne dit rien. Elle porte une robe blanche serrée à la taille par un ceinturon de cuir incrusté de pierres vertes[1]. Tout en marchant je la surveille, ce qui me force à l'admirer, car elle est admirable, cette gosse ! Tout de même, quand on y pense, ce que j'ai pu en rencontrer et m'en farcir, des belles nanas, depuis que j'exerce ma petite industrie. Des fois, la nuit, pendant mes insomnies, j'essaie, non pas de les comptabiliser – ce qui serait peu galant –, mais d'en dresser l'inventaire.

J'y arrive pas, j'en oublie toujours… Je me dis, toutes ces rutilantes blondes, ces pétillantes rousses, ces brunes ardentes, que deviennent-elles ? J'entends pour celles qui n'ont pas été déguisées en cadavre pendant les délicates opérations… Chaque fois, je me réponds la même chose : des mémés. Elles sont en train de se ranger des

1. Si vous êtes superstitieux, vous pouvez remplacer le vert par une autre couleur ; je n'écris pas dans le bronze, vous savez. Chacun ses goûts, c'est humain.

voitures, de choper du carat et de l'embonpoint malgré leurs masseurs et leurs régimes. Elles font des gosses, parce qu'une bonne femme, c'est malgré tout son destin d'en avoir et son aspiration profonde organique. Elles prennent des maris. Elles mollissent dans le bien-être bourgeois. La bourgeoisie, c'est la seule ambition réelle ici-bas. On la décrie, on la vilipende, on la moque, on la hait, on la rejette, mais tous, regardez-les, ils la veulent. Ils bataillent pour l'acquérir. Ça commence par la bagnole et la téloche, ça continue par les sports d'hiver (ou les sports divers), ça se poursuit par la crèche à la cambrousse meublée rustique, l'abonnement à *Plaisir de France*, l'admission au Rotary ou au Lion's, la légion d'honneur et les gueuletons. La réelle promotion sociale se marque avant tout par la gueule, les gars, n'oubliez jamais ça.

Le vrai tournant de l'existence est indiqué par le homard et le caviar. Il y a la vie avant la tortore chez Point, à Beaumanière, à la Tour d'Argent, au Grand Véfour ou chez Carrère, et la vie après. Les grands tauliers et les grands cardiologues savent seuls reconnaître les nouveaux promus.

Donc, on avance vers le terre-plein servant de terrain d'envol aux hélicoptères. Parvenu à l'orée de l'esplanade, on stoppe en découvrant que deux forts projecteurs l'éclairent. Un groupe de Sovietcongs ayant à sa tête l'homme aux lunettes noires et au sparadrap entourent notre coucou. Ils y montent une garde vigilante. J'enrage de voir que nos desseins ont été, sinon prévus, du moins envisagés. Je stoppe la caravane d'un geste et nous délibérons.

— Votre avis, docteur ? soupire le Gros, c'est grave, n'est-ce pas ?

Il dénombre les assiégeants de l'hélicoptère.

— Ils sont huit, fait-il, c'est un peu beaucoup, non ? On essaie de se les payer depuis ici, vu qu'on est dans l'ombre, et eusses dans la lumière ?

— Non, décidé-je. Dès que nous ouvririons le feu, ils grimperaient dans le zinc et on serait marron.

— Alors ?

Je me prends à part pour la grande réflexion déterminante. S'agit pas de perdre les pédales, mes loutes. La vue du bel appareil illuminé comme dans une vitrine me galvanise. Je me sens déjà dedans. J'ai envie de liberté. Ça me botte, la perspective de ramener ma peau dans notre pavillon de Saint-Cloud.

— Ecoutez, leur dis-je, on va tenter le coup de la manière suivante : Curt et moi, nous allons marcher droit à eux en compagnie d'Olga. En voyant notre belle amie, ils n'auront pas tout de suite la puce à l'oreille. Toi, Gros, ta silhouette est trop reconnaissable, tu vas rester ici.

— Mais..., proteste le Bêlant.

— La boucle !

Je prends la mitraillette qu'il a conservée malgré son flingue.

— Ta seringue me sera plus utile que mon fusil. Dès que nous serons à bonne distance, on ouvrira les hostilités. Au premier coup de pétoire, tu tireras dans les projecteurs, O.K. ?

— Beaux cartons en perspective, apprécie le Dodu.

— Une fois les calbombes éteintes, tu fonceras à l'appareil. Toi, Curt, tu te tiendras derrière Olga, elle te servira de bouclier car tu ne peux pas te permettre d'être blessé étant donné que toi seul peux piloter le zinc. S'il t'arrivait un pastis quelconque, on serait tous bourrus, donc fais gaffe à ta santé. Quant à vous, Olga, soyez docile et n'essayez pas le moindre coup d'arnaque sinon vous ne feriez pas trois pas avant d'être morte. Maintenant allons-y.

Et l'on s'avance dans la lumière. Je suis toujours aux côtés de la jeune femme. Curtis marche derrière elle. Je sais que l'opération est plus que périlleuse car, en pleine lumière, nous ne pouvons guère faire longtemps illusion et il est visible que nous ne portons pas d'uniformes.

Une cinquantaine de mètres nous séparent de l'hélicoptère. Je tiens ma mitraillette sous le bras, prêt à arroser. Mais m'en laisseront-ils le temps ? Nous avançons néanmoins d'une démarche assurée. Je me dis qu'à tout bout de champ, une balle bien placée peut faire culbuter votre cher San-A au pays des ectoplasmes. Comme ce serait dommage ! Dites, vous vous rendez compte d'une perte ? Toutes ces aventures encore à vivre ! Tout ce papier à noircir ! Tous ces impôts à payer ! Ni la police, ni la littérature, ni les Finances ne s'en remettraient. Alors, pour elles trois, haut les cours et bas les pattes ! Sors ton grand jeu diabolique, San-A. Fais-leur z'y voir, aux copains, que tu n'as pas du sang de lapin !

On marche ! Je me dis que des gars qui viennent à vous de ce pas décidé, avec une amie de la maison, ne peuvent pas inspirer la défiance. Ils sont huit, magnifiquement groupés ! C'est un lot, c'est une affaire ! Dans un éclair, je me dis que c'est vache de défourailler sur ces hommes dont les problèmes ne me concernent pas directement. Pour une fois que notre pays ne se fout pas le nez dans un guêpier, faut que le San-A déclare la guerre à lui tout seul ! Mort de mes os, quelle pétaudière ! Plus que vingt mètres. C'est alors que le zig aux lunettes noires s'avise de notre arrivée. Il s'adresse à Olga en anglais.

— Qu'est-ce que c'est, baby ? lui demande-t-il.

Je souffle à l'oreille de la môme :

— Dites-lui n'importe quoi de rassurant !

— Vous avez trouvé quelque chose ? demande ma compagne d'une voix neutre.

— Non, rien, ces salopards ont dû gagner la brousse...

On a profité du dialogue pour presser le pas. Nous ne sommes plus qu'à dix mètres du groupe. Et voilà que le sparadrapeux me retapisse. Vous savez, mes choucardes, il faut dire aussi qu'en pleine lumière, un San-Antonio, fût-il futile et coiffé d'un casque ne peut pas longtemps passer pour un Vietnamien.

— Nom de D... ! s'écrie l'homme aux lunettes noires en anglais et en trépignant, c'est eux ! Tirez !

— Non ! hurle Olga.

Y a une période indécise dans le groupe adverse, période au cours de laquelle les bonshommes se demandent ce qui se passe, et ceux qui ont pigé, ce qu'ils doivent faire. Alors, moi vous me connaissez ? Quand ma conscience se fait tirer l'oreille, c'est mon instinct qui prend la barre. Je me laisse tomber à genoux et j'arrose. Oh ! ce coup d'épousseteuse, ma doué ! D'un seul coup d'un seul, voilà cinq mecs au gazon. Il y en a un qui se taille en courant, blessé quelque part, et les lunettes noires avec le huitième, qui dégainent leur parabellum.

Je m'aperçois que, dans mon souci de bien faire, j'ai brûlé toutes mes allumettes. Pour allumer le solde il va falloir tirer au fusil. Seulement, la manœuvre consistant à troquer ma Thompson contre mon Lebel va prendre un temps fatal, voilà ce que je me dis à une vitesse supersonique. Heureusement, Curtis qui se tenait prêt vient de défourailler sur le dernier soldat valide. Cézigue s'allonge pour voir s'il ne trouverait pas un trèfle à quatre feuilles car il a un urgent besoin de chance. Hélas ! pour lui, le Gros opère son numéro de circus et pan pan, les deux projecteurs restituent à la nuit la totalité de ses droits. Pour le coup, le sparadrapeux crache ses valdas au jugé, mais lorsqu'on vient d'abandonner l'intense lumière des projecteurs pour la timide loupiote de la lune ennuagée on ne peut prétendre faire la nique à Buffalo Bill. Sa quincaille part à dache, et il saute dans le zoziau pour essayer de gagner du temps en s'y barricadant. L'alerte vient d'être donnée et, croyez-moi, si on ne décolle pas tout de suite et même plus vite que ça, on risque fort d'effacer un sacré tir de barrage.

L'homme aux lunettes essaie de refermer la lourde. Il pèse de toutes ses forces sur le panneau. S'il arrive à assurer le système intérieur, c'en est fait de nos projets. Pas de ça, Lisette. J'appuie le canon du colt contre la portière et je pruneaute. Pour le coup, le champion de la tortore acoustico-visuelle cesse de résister et nous grimpons à bord. C'est le moment que choisit Olga pour nous fausser compagnie. Mais vraiment, elle est mal inspirée, car le Gros qui s'annonce lui fracasse la tête d'un formidable coup de crosse avant de grimper à bord !

— Ça lui apprendra à vivre ! déclare-t-il en guise d'oraison funèbre.

Je relourde sur Béru. Curtis est déjà aux commandes et le moteur vrombit. Les larges pales de l'hélicoptère couchent les herbes et font frissonner les cheveux d'Olga. L'appareil se dandine, puis s'élève. Des balles crépitent depuis le camp. Quelques-unes traversent le fuselage, mais sans nous atteindre. Avec une sûreté réconfortante, Curt pique sur la jungle. La lune, un instant dégagée, fait galoper l'ombre de notre zinzin sur les frondaisons vert clair.

Le nez collé à un hublot, Béru fait adieu de la main

aux menues silhouettes qui fourmillent dans les lumières du camp.

— Bons baisers, caresses aux enfants, leur dit-il, on vous enverra des cartes postales.

Je me penche sur le type aux lunettes. Il est clamsé. Comme un mort n'a jamais eu besoin de besicles, fussent-elles munies de verres teintés, j'arrache les siennes. Cette fois, je suis absolument certain de connaître l'homme. Mais je ne parviens pas à le localiser exactement dans mes souvenirs. Ce que je sais, par exemple, c'est que nos relations furent brèves et récentes et que… Sapristi !

— Béru ! appelé-je.

Je lui montre le défunt. Le Mastar s'écarquille les vasistas au point qu'on pourrait apercevoir le fond de son slip si celui-ci était clair.

— Mais, je rêve ! dit-il.

— Non, Gros.

— C'est l'officier amerloque dont avec lequel je m'ai chicorné hier dans les rues de Saigon ?

— En chair et en os, sinon en vie, mon pote !

— Alors c'était un espion, lui aussi !

— Il devait déjà nous filer le train en accord avec Olga. Ah ! nous étions drôlement mitonnés, mon pote !

— Quelle histoire ! soupire le Gros. Mais enfin on a pu se tirer les nougats de la taupinière. Et en somme, on a réussi la mission dont tu nous avais confiée, puisque l'ami Curtis est lui aussi saint et chauve.

Curt reprend du poil de la bestiole, moi je vous l'annonce.

— Pour San-Antonio, se met-il soudain à hurler, hip hip hip…

— … Opotame ! termine le Facétieux.

Malgré notre séance de butez-moi-tout-ça ; y a de l'ambiance, hein ?

Je refoule le cadavre dans le fond de la carlingue et je m'assieds près du pilote.

— Tu n'aurais pas dû estourbir la môme, reproché-je à Béru, après tout, elle ne pouvait plus nous nuire !

Sa Majesté hausse les épaules.

— Tu changeras jamais, San-A, les vapeurs, tout de suite quand il est question de jupon ! On avait pas convenu que si elle essayait de nous repasser on l'allongeait ?

— Je ne te dis pas, mais…

Il se renfrogne, n'aimant pas être sermonné devant des tiers.

— Ecoute, mon pote, si cette belle jouvencelle avait fait sténo-dactylo ou petite pogne chez Dior au lieu de se lancer dans la série Fleuve Noir, ça lui serait pas arrivé. Pour rien te cacher, je m'en ressentais pas pour lui pardonner l'horrible arnaque qu'elle nous a manigancée. Cette fumelle-là avait plus de c… que de cœur, crois-moi, et si elle aurait vécu, elle risquait fort d'en faire baver à d'autres…

A quoi bon insister ? Curtis est également de l'avis du Mahousse. Il déclare que c'est mieux ainsi.

— A propos, lui fais-je, maintenant qu'on peut tailler le bout de gras à tête reposée, si tu me parlais un peu d'une coquine Chinoise nommée Chou Poû Ri que tu aurais connue à San Francisco et qui aurait eu sur tes conceptions politiques une influence néfaste ?

Il me coule un rapide coup d'œil, plein de surprise.

— Qu'est-ce qui t'a raconté ça ?

— Olga, cet après-midi, pendant ma séance de torture. Elle voulait me convaincre que tu appartenais à une association chinoise et que…

— Complètement idiot, assure Curtis. Je le mate, pensivement.

— Vois-tu, Curt, je viens de te prouver que je n'étais pas un ingrat, alors ça me permet d'être franco. J'ai beaucoup pensé à toi dans mon arbre, tout à l'heure, pendant que les types du camp faisaient leur battue. Et j'en suis arrivé à la conclusion que tu nous cachais quelque chose, à tous. Tiens, ce qui m'a déclenché le doute, c'est le coup de la piqûre.

— Quelle piqûre ?

— Tu vois, reproché-je, tu ne t'en souviens même plus. Quand on t'a ramené de l'interrogatoire, tu étais sonné, mais conscient, puisque tu m'as aidé à blouser nos gens. Ensuite, lorsque j'ai voulu te questionner, tu as feint de t'évanouir et tu as prétendu qu'ils t'avaient piqué…

Il ne répond rien.

— Tu te rappelles, Curt ?

— Et alors ?

— Alors, Olga à qui j'ai parlé de ça m'a dit qu'on ne t'avait pas fait de piqûre. C'est peut-être idiot, mais c'est elle que j'ai crue : ce bon vieux flair de poulet, quoi !

— Et tu en déduis que je joue un double jeu, Tony ?

— Cela venant s'ajouter au reste, avoue qu'il y a de quoi être troublé.

— Qu'appelles-tu le reste ?

— Bédame, ta condamnation à mort. Les Ricains ne sont pas des gamins. S'ils décident de fusiller un de leurs plus brillants officiers, c'est parce qu'ils ont réuni suffisamment de preuves contre lui. Au début, j'ai joué l'erreur judiciaire à cause de ta soi-disant lettre que ta soi-disant femme me brandissait en sanglotant. Mais...

Il pilote calmement. Sa barbe a poussé et il me fait songer à ce pauvre Montgomery Clift dans je ne sais plus quel film. Il se dégage de toute sa personne un je ne sais quoi de sauvage et de romantique qui surprend, trouble et inquiète.

— Je t'aime bien, Tony ! dit-il sans me regarder.

Comme je ne réponds pas, il ajoute :

— Aussi, ça me fait de la peine, la façon dont tu as été empaillé de bout en bout...

— C'est-à-dire ? articulé-je avec peine, la gorge bloquée, la bouche plus sèche qu'une pierre à aiguiser perdue en plein Sahara.

— Tu as coupé dans tous les bobards, depuis l'histoire de ma fausse épouse jusqu'à maintenant où tu estimes que le mort qui nous accompagne est un espion russe.

Il rit. Pas méchamment, plutôt avec amusement ; comme on rit en voyant qu'un ami ne parvient pas à trouver la devinette qu'on lui a posée.

— Parce que, grogne Béru qui écoute, à l'arrière, le gus que j'ai tabassé ne nous surveillait pas, peut-être ?

— Je suppose que si.

— Eh bien, alors ?

— Alors, il se trouve que cet homme est un officier des services de renseignements américains...

Là, je titube du cervelet, les gars ! Je me demande si les émotions, la détention, les sévices n'ont pas fêlé le caberluche de mon ami Curt Curtis. Faut croire que Bibendum est du même avis puisqu'il me demande en se toquant le chambranle :

— Dis, San-A, il a coulé une bielle, ton amigos. Ce

mec eusse dirigé le comité de torture des Sovietcongs s'il aurait été Ricain ?

— Les Français sont tellement cartésiens qu'ils en deviennent crédules, affirme sentencieusement notre pilote. Le réalisme est le meilleur support de l'illusion !

— Oh ! Oh ! Oublie-nous avec tes récitations, mon pote, s'emporte Bérurier, et interprète-nous l'air de la Vérité, tu veux ?

— D'accord, mon pote ! répond Curtis amusé, en imitant l'accent grasseyant de Bérurier.

Il murmure :

— Moi, officier américain, je me trouve brusquement convaincu de trahison. Le haut état-major sait qu'une vaste association communiste noyaute l'armée qui se pose des questions à propos de la guerre au Viêt-nam. Pas de doute : j'appartiens à cette organisation. On me questionne, on m'applique le troisième degré. Ce qu'on voudrait savoir ? Les ramifications de ce réseau qui ronge les forces américaines comme le ver ronge le fruit, de l'intérieur… Malgré toutes les pressions, je garde le silence. Mon affaire a fait scandale, on doit me juger, me condamner à mort et me fusiller. Il leur est impossible de ne pas agir ainsi. C'est alors que les services secrets américains ont une idée géniale, géniale !

— Ta gueule, Curt, j'ai compris, aboyé-je.

Il a un hochement de tête :

— Ah ! Tout de même !

— Olga est une espionne américaine et nous venons de nous échapper d'un camp U.S., n'est-ce pas ?

— Très exactement, Tony !

Ça bourdonne dans ma tronche. Je vous jure que j'ai réellement des vapes, mes poulettes bleues. Pour un peu, je partirais dans la purée d'andouille. Moi, San-A, j'ai massacré des Amerloques ! Je pige la démarche incroyable de cette infernale affaire.

— Si t'as compris, file-moi z'en une assiettée, supplie le Gros.

— Leur dernière chance, murmuré-je, c'était de te faire évader. Seulement, il fallait que tu sois arraché à la mort par un homme en qui tu avais toute confiance !

— Juste !

— Ils ont enquêté sur ton passé, et ils y ont trouvé notre amitié. Ils ont su que tu m'avais sauvé la vie. Moi, San-A, pas manchot des méninges et d'espèce plutôt courageuse, j'étais le mec idéal pour ce genre d'exploit.

— La preuve, Tony, la preuve...

— On m'a fait le coup de la presque veuve éplorée. C'était la première partie de l'opération jusqu'à l'évasion. Seulement après, comme on risquait de piger l'astuce, ils nous ont fait croire à tous les deux que c'était un coup monté par les Russes. Ils espéraient que tu t'indignerais et que tu clamerais bien haut ta loyauté à la cause des Rouges...

— Evidemment !

— Ou bien que tu te confierais à moi, ton ami qui venais de te donner une preuve de reconnaissance... Alors, ils nous ont emmenés dans un camp où l'on entraîne les soldats pour les conditionner au cas où ils tomberaient dans les pattes des Viêt-congs ? Tout y est conforme aux vrais camps nordistes ?

— Eh bien voilà, dit Curtis, tu vois bien qu'en sollicitant tes méninges, tu arrives à la vérité, Tony.

— Bouge pas, Curtis, comment se fait-il que tu n'aies pas été dupe ? Le potage était pourtant magistralement présenté !

— Tu parles ! Un vrai film de feu Cecil B. de Mille... Seulement, il y avait un os, San-A.

— Lequel ?

— Ils ont cru que j'étais un agent de cette fameuse organisation communiste…

Je respire.

— Et c'est faux ? croassé-je.

— Entièrement, Tony. *Je ne suis pas un agent de l'organisation, j'en suis le chef !*

CHAPITRE XIII (prolongé)

Il y a une vieille chanson française, couenne à bouffer de la bitte d'amarrage, qui dit comme ça que lorsqu'on morfle une cheminée sur la bouille, y avait qu'à passer sur le trottoir d'en face.

Moi, je chope une cheminée d'usine sur la cafetière, mes amis. Et tout en dégustant, je me dis que j'aurais vachement mieux fait de passer sur l'autre trottoir en effet.

Et tout ce bigntz dans le dos du Vieux ! Je décime les agentes ricaines, les hauts officiers ! Je démantèle les bases d'entraînement, je…

— Curt, déclaré-je, je vais te dire une chose.

— Non, interrompt Bérurier, c'est moi que je vais lui la lui dire !

Il est violacé, le Dodu. Fureur totale ! Courroux noblement exhalé. O rage ! O géant-se-peut-il-que-tu-dormes !

— Curt Curtis, aboie le Grondant, par-dessus le zonzon fracassant du moteur, Curt Curtis, t'es qu'un sagouin, un fils de p… ! Une ordure dont la nausée abonde ! Une saloperie vivante ! Une infection généralisée ! Une lope pas fraîche ! Un… Une…

Il s'étouffe, il suffoque, il s'apoplexique, il meurt

d'indignation. Mais, vaillamment, il reprend une goulée d'oxygène pour continuer à destituer Curtis de sa qualité d'homme et surtout de soldat.

— T'es un traître, Curt Curtis ! T'es moins que pas grand-chose ! Un pet de lapin crevé a plus d'honneur que toi, Curt Curtis ! Tu mérites pas de vivre ! Quand un mec fait à son pays ce que tu as fait au tien, faudrait pouvoir le buter et enterrer sa charogne aut' part que dans la terre. Même on t'enverrait la carcasse dans le cosmos, je refuserais de te sentir tournicoter autour de ma planète, Curt Curtis.

Et Béru continue, inexorable, grand, blanc, bleu, rouge, arc-en-ciel, séraphique, tonnerre, poil au nez, vorace en sa fureur, affamé de sa rage :

— Dès que t'auras posé le zinc, je te ferai la peau, salaud !

Lors, le pilote se tourne vers Béru et lui adresse un clin d'yeux.

— Je serais entièrement d'accord avec toi si je m'appelais Curt Curtis, Gros lard, lui dit-il. Seulement, il se trouve que ma véritable identité est Dimitri Skoliansky et que je suis un agent soviétique incorporé depuis bientôt quinze ans dans l'armée américaine.

Il lâche son farfouilleur spermostatique pour me claquer le dos.

— Ça ne t'ennuie pas trop, Tony, que ça soit un Popoff qui t'ait jadis sauvé la vie ?

On reste bouche bée. Bouche bête.

Le Mastar se regarde le bout du pif pour voir s'il lui pousserait pas un palmier ou un truc de ce genre. Et puis voilà qu'on part à rigoler, à rigoler, mais à rigoler à en faire hoqueter l'appareil.

Une heure plus tard, Curt (je continuerai toujours à l'appeler ainsi) se pose dans un camp nordiste où de vrais Sovietcongs, cette fois, nous accueillent. Il se fait connaître, déballe son matricule, le mot de passe-passe, le numéro de son permis de conduire et le nom de sa logeuse. Bref, on est reconnus d'utilité républicaine et reçus avec tous les chefs d'égards dus à nos rangs.

La région vient d'être sévèrement bombardée et c'est l'effervescence (de lavande). Les Viêt-congs pompiers circoncisent (avec l'aide des Viêt-congs rabbins-des-bois) les incendies, cependant que les valides assistent les invalides. Le Gros et moi, on essaie de se rendre utiles en attendant qu'un zinc spécialement frété à notre intention vienne au petit jour nous chercher pour nous conduire à... à... ailleurs (je me rappelle plus le nom).

On ramasse des blessés, on les panse, les réconforte, les transporte... Geneviève de Galard, je vous dis ! On a besoin de bien faire. On est assoiffés de B.A., A.-B. et moi.

Si vous le voyiez, Béru ! Oh ! la noble figure ! Comme il est généreux ! Plein du sang d'autrui. Il en verse parfois mais il en garrotte ! Il est surtout remué par un petit garçonnet d'une huitaine d'années qu'on a trouvé blessé sur le bord d'une route, avec un pansement à la tête et l'air si désemparé qu'on le garde avec nous.

Sa Majesté en est folle de ce mouflet. Il est tout malingre, avec un pauvre visage de ouistiti mal nourri, faut dire. Il ferait chialer une brique réfractaire, je vous assure.

*
* *

Au petit matin, un Skoubidou de la compagnie Yhabour à valvos réacteurs est là, qui nous attend. Curt prend alors congé de nous.

— Tony, me dit-il, je regrette d'avoir entaché ta conscience, ça n'est pas ma faute, car je ne suis pas allé te chercher, mais je te remercie pourtant d'être venu.

— Nous sommes quittes, lui dis-je.

On se sourit. On a peut-être les yeux qui brillent, ou alors c'est la rosée du matin (à laquelle Béru préfère le rosé de Provence). On voudrait ajouter des trucs, pas se larguer commak ; se parler de l'avenir, se promettre encore des amitiés futures, mais maintenant, hein, après ce pastaga sidérant, et ces révélations abasourdissantes, on serait pas à notre aise. Cherchons pas à péter une pendule : la vie continue chacun pour soi. Nos routes se sont croisées une première fois, puis une seconde et chaque fois, l'un a fait à l'autre le plus chouette des cadeaux : sa vie.

Dans le fond, ma mission était sacrée et je l'ai remplie. Je rentre au port meurtri mais apaisé.

— Dites voir, m'sieur Machin-en-ski, fait Béru à Curt en s'approchant, je voudrais vous demander une faveur.

Elle lui est accordée.

Vous saurez ce dont à propos de quoi il s'agit dans les pages suivantes.

En attendant, je prends l'avion.

ÉPILOGUE

C'est un Pinuche radieux que je trouve dans le bureau. Il rit comme un brie entamé.

— Ah, te voilà, fait-il, justement, je rédigeais mon rapport à propos de cette affaire de stupéfiants…

— Tu as progressé, Pépère ? demandé-je à la Vieillasse pavanante.

— Et comment : j'ai retrouvé la camelote, imagine-toi.

Je bondis :

— Quoi, la malle à double fond bourrée d'héroïne ?

— *Yes*, monsieur. Ça s'est fait, je dois convenir, incidemment. Figure-toi que l'autre soir, j'étais distrait, je laisse ma voiture devant une porte cochère. Le lendemain matin, j'arrive : plus d'auto ! J'ai cru au vol et je me suis rendu au commissariat où l'on m'a appris qu'elle avait été emmenée à la fourrière. Tout flic que je sois, j'ai dû aller la chercher et payer l'amende. Tandis que je m'exécutais, continue la Vieillasse, mon attention, toujours en éveil, tu le sais…

— Oh ! pour l'amour du ciel, abrège, tonné-je. Tu me scies les nerfs, Pinuche !

— Je t'en prie, se rebiffe-t-il, je te rapporte strictement les faits, dans leur ordre purement chronologique, et…

Je l'agrippe par son veston.

— Tu accouches, oui ? Pincé, il rajuste son col.

— Mon attention, toujours en éveil, tu le sais, reprend-il, imperturbable, m'a fait remarquer un break Citroën rangé juste à côté de mon auto… Tu connais ce vieil instinct, qui…

— Fantastique, m'écrié-je, c'était le faux taxi à la malle ?

— Comment as-tu deviné ? déplore le cher homme.

— Bast, fais-je, simplement ce vieil instinct que tu connais pour le posséder toi-même en plus faible quantité. Et la came se trouvait à l'intérieur ?

— Oui. Figure-toi que les trafiquants avaient exprès laissé leur voiture devant la porte cochère du ministère des Autodéterminés. C'était, recta, l'envoyer à la fourrière. A la fourrière, comprends-le, on met les scellés sur les véhicules. Ils étaient donc tranquilles, ces malins : leur marchandise se trouvait sous la protection de la police !

— Viens que je t'embrasse, Pinaud ! Et la suite ?

— J'ai enquêté devant le ministère et trouvé une piste…

Il se racle la gorge.

— Seulement, il va falloir que nous allions à Saigon, fait-il.

— En ce cas, ta piste, tu peux te la foutre au cumulus, tranché-je. Ou alors vas-y tout seul, je t'attends là. Saigon, je sors d'en prendre, ma Vieille.

La porte s'ouvre avec fracas sous la magistrale poussée béruréenne.

— Ah ! veine, t'es là, dit le Gros à Pinuche.

Il se tourne vers moi :

— Tu lui as parlé de la surprise ? me demande-t-il.

— Quelle surprise ? s'épanouit la Vieillasse.

— On t'a rapporté quèque chose du Viêt-nam, déclare Bérurier. Quèque chose de pas banal et qui te fera de l'usage.

— Quoi donc ? se pourlèche le Fossile.

— Devine !

— Une potiche ?

— Bien mieux que ça, Pépère : mate un peu, tes rêves vont z'être comblés.

Il repasse dans le couloir et s'annonce avec le petit Annamite blessé que nous découvrîmes au bord de la route.

— Voilà un petit orphelin que tu vas adopter, Pinuche, sentence l'Hénorme. D'accord, il est passé au safran et il a les phares à iode dans le sens de la largeur, mais c'est un petit gars bien méritant que tu deviendras pour lui un véritable père, aussi bien que tu l'aurais fabriqué à Mâme Pinaud un soir que t'aurais contrasté la jaunisse. Avant de te l'apporter, je suis passé le fringuer à la B.J. pour y acheter un costume mataf, vu qu'il avait sur lui que des nippes pas présentables et tachées de sang. Il est pas chou, comme ça ?

Entre nous et l'autre imbécile qui est à vos côtés, je le trouve un peu carnavalesque, le petit Vietnamien avec son béret marin posé sur son pansement, son pantalon bleu marine qui lui arrive au-dessous des genoux (sans pour autant ressembler à un Bermuda) et sa vareuse trop grande de deux tailles dont les boutons s'ornent d'ancres coralines. Mais enfin, comme dit la chanson (je me répète en vous le répétant) c'est pas l'objet qu'il faut regarder, c'est la façon de le présenter !

Abasourdi au début, Pinaud s'humidifie. Son attendrissement fait du bien à voir. Il se penche sur le bambin, le prend dans ses bras maigrichons et l'étreint avec une fougue déjà paternelle.

— Mon canard, mon poussin, mon bouton d'or, mon jaune d'œuf, mon gentil citron, comment t'appelles-tu ?

Bérurier se gratte l'entrejambe d'un air ennuyé.

— Y a deux os, fait-il, mais ça s'arrangera très vite. *Primo*, il cause pas français, ça tu lui apprendras. *Deuxio*, on ignore son nom, mais t'auras qu'à le baptiser comme tu voudras... T'aurais pas une idée, toi qu'en as toujours ? ajoute-t-il en s'adressant à moi.

— Si, fais-je illico. Etant donné qu'il est jaune et loqué en petit marin, appelons-le Pamplemousse.

Huit jours plus tard, il y a grande fiesta chez les Pinaud pour célébrer l'adoption de Pamplemousse. Participent aux festivités : M'man, son fils unique, et les Bérurier.

Mme Pinuche, toute fofolle, toute jeunette depuis qu'elle est maman, a mis les pieds plats dans l'écran (selon Béru). Elle nous confie qu'ils adorent Pamplemousse. C'est un petit gars intelligent dont elle sent se développer les qualités morales. Elle rêve pour lui d'une situation élevée plus tard : couvreur ou aviateur. Qui sait : s'il est malin deviendra-t-il peut-être promoteur immobilier et député s'il ne l'est pas ! Seulement, quelque chose déroute nos hôtes : depuis son installation chez Pinaud, le petit Vietnamien réclame on ne sait quoi avec une véhémence qui effraie ses nouveaux parents. Afin de savoir de quoi il retourne, j'ai demandé à Lathuile de se joindre à nous, car le crack de *France-Flash* (que je viens de retrouver à Paname et auquel, fidèle à ma promesse, je fournis des éléments de papier plus ou moins fantaisistes) parle couramment cent vingt-huit langues ou dialectes, parmi lesquels le nord-vietnamien.

Il radine aux hors-d'œuvre, essoufflé, la cravate de travers, avec deux boutons de sa braguette non ajustés.

— Ah ! voilà le marmot ! fait-il.

Et illico d'adresser la parole à Pamplemousse dans sa langue maternelle. Le jeune Asiatique se met à bavasser avec volubilité. On se croirait au jardin d'acclimatation, section cacatoès. Lathuile l'écoute avec surprise au début, puis en souriant, puis en riant bien fort, puis en s'étouffant, puis en se pâmant, puis en se roulant par terre. Je l'aide à se relever, à s'oxygéner, à se décongestionner.

— Qu'est-ce qu'il t'a dit ? demandé-je à voix basse, pressentant du pas banal, du pas racontable !

Lathuile me coule dans le toboggan à balourdises.

— Figure-toi que c'est pas un petit garçon mais un nain. Il a soixante-quatre ans et il veut retourner chez lui où l'attendent sa femme, ses douze enfants et ses soixante-huit petits-enfants !

— Qu'est-ce que c'est ? s'inquiètent les Pinaud, ravagés par l'angoisse.

Leurs pauvres bouilles pantelantes d'angoisse font mal à regarder.

— Rien, rien, dis-je, il dit qu'il se plaît beaucoup ici.

Et comme le nain jaune continue de vitupérer, je lui claque le museau en criant :

— Mange, et tais-toi !

FIN

Un guide de lecture inédit élaboré
par Raymond Milési

REMONTEZ LE FLEUVE AVEC LE COMMISSAIRE SAN-ANTONIO

La première aventure du commissaire San-Antonio est parue en 1949. Peu à peu, ce personnage au punch et à la sincérité extraordinaires a pris dans le cœur des lecteurs de tous âges une place si importante qu'on peut parler à son sujet de véritable *phénomène*. Qu'il s'agisse de son exceptionnel succès dans l'édition ou de l'enthousiasme qu'il provoque, on est en droit de le situer — et de loin — au premier rang des « héros littéraires » de notre pays.

1. Bibliographie des aventures de San-Antonio

A) La série

Jusqu'en 2002, la série était disponible dans une collection appelée « *San-Antonio* », abrégée en « **S-A** », **avec une numérotation qui ne tenait pas compte – pour une bonne partie – de l'ordre originel des parutions.**

La collection garde le même nom mais, à partir de 2003, **sa numérotation va respecter l'ordre chronologique.**

Dès lors, la bibliographie ci-après se consulte de la façon suivante :

- En tête apparaît le numéro « chronologique », celui qui figure sur chaque roman réimprimé *à partir de 2003.*
- Après le titre vient, entre parenthèses, la date de première publication.
- Puis est indiquée la collection d'origine (Spécial Police de 1950 à 1972 et **S-A avec l'ancienne numérotation** : reprises et originaux de 1973 à 2002).
- O.C. signale que le titre a été réédité dans les Œuvres Complètes, le numéro du tome étant précisé en chiffres romains.

■■■■■■■■■■■■■■■■

1. **RÉGLEZ-LUI SON COMPTE** (1949)
(S-A 107) – O.C. XXIV

2. **LAISSEZ TOMBER LA FILLE** (1950)
Spécial-Police 11 – **(S-A 43)** – O.C. III

3. **LES SOURIS ONT LA PEAU TENDRE** (1951)
Spécial-Police 19 – **(S-A 44)** – O.C. II

4. **MES HOMMAGES À LA DONZELLE** (1952)
Spécial-Police 30 – **(S-A 45)** – O.C. X

5. **DU PLOMB DANS LES TRIPES** (1953)
Spécial-Police 35 – **(S-A 47)** – O.C. XII

6. **DES DRAGÉES SANS BAPTÊME** (1953)
Spécial-Police 38 – **(S-A 48)** – O.C. IV

7. **DES CLIENTES POUR LA MORGUE** (1953)
Spécial-Police 40 – **(S-A 49)** – O.C. VI

8. **DESCENDEZ-LE À LA PROCHAINE** (1953)
Spécial-Police 43 – **(S-A 50)** – O.C. VII

9. **PASSEZ-MOI LA JOCONDE** (1954)
Spécial-Police 48 – **(S-A 2)** – O.C. I

10. **SÉRÉNADE POUR UNE SOURIS DÉFUNTE** (1954)
Spécial-Police 52 – **(S-A 3)** – O.C. VIII

11. **RUE DES MACCHABÉES** (1954)
Spécial-Police 57 – **(S-A 4)** – O.C. VIII

12. **BAS LES PATTES !** (1954)
Spécial-Police 59 – **(S-A 51)** – O.C. XI

13. **DEUIL EXPRESS** (1954)
Spécial-Police 63 – **(S-A 53)** – O.C. IV

14. **J'AI BIEN L'HONNEUR DE VOUS BUTER** (1955)
Spécial-Police 67 – **(S-A 54)** – O.C. VIII

15. **C'EST MORT ET ÇA NE SAIT PAS** (1955)
Spécial-Police 71 – **(S-A 55)** – O.C. XIII

16. **MESSIEURS LES HOMMES** (1955)
Spécial-Police 76 – **(S-A 56)** – O.C. II

17. **DU MOURON À SE FAIRE** (1955)
Spécial-Police 81 – **(S-A 57)** – O.C. XV

18. **LE FIL À COUPER LE BEURRE** (1955)
Spécial-Police 85 – **(S-A 58)** – O.C. XI

19. **FAIS GAFFE À TES OS** (1956)
Spécial-Police 90 – **(S-A 59)** – O.C. III

20. **À TUE... ET À TOI** (1956)
Spécial-Police 93 – **(S-A 61)** – O.C. VI

21. **ÇA TOURNE AU VINAIGRE** (1956)
Spécial-Police 101 – **(S-A 62)** – O.C. IV

22. **LES DOIGTS DANS LE NEZ** (1956)
Spécial-Police 108 – **(S-A 63)** – O.C. VII

23. **AU SUIVANT DE CES MESSIEURS** (1957)
Spécial-Police 111 – **(S-A 65)** – O.C. IX

24. **DES GUEULES D'ENTERREMENT** (1957)
Spécial-Police 117 – **(S-A 66)** – O.C. IX

25. **LES ANGES SE FONT PLUMER** (1957)
Spécial-Police 123 – **(S-A 67)** – O.C. XII

26. **LA TOMBOLA DES VOYOUS** (1957)
Spécial-Police 129 – **(S-A 68)** – O.C. IV

27. **J'AI PEUR DES MOUCHES** (1957)
Spécial-Police 141 – **(S-A 70)** – O.C. I

28. **LE SECRET DE POLICHINELLE** (1958)
Spécial-Police 145 – **(S-A 71)** – O.C. III

29. **DU POULET AU MENU** (1958)
Spécial-Police 151 – **(S-A 72)** – O.C. V

30. **TU VAS TRINQUER, SAN-ANTONIO** (1958)
Spécial-Police 157 – **(S-A 40)** – O.C. V
(tout en pouvant se lire séparément, ces deux derniers romans constituent une même histoire en deux parties)

31. **EN LONG, EN LARGE ET EN TRAVERS** (1958)
Spécial-Police 163 – **(S-A 7)** – O.C. XIII

32. **LA VÉRITÉ EN SALADE** (1958)
Spécial-Police 173 – **(S-A 8)** – O.C. VI

33. **PRENEZ-EN DE LA GRAINE** (1959)
Spécial-Police 179 – **(S-A 73)** – O.C. II

34. **ON T'ENVERRA DU MONDE** (1959)
Spécial-Police 188 – **(S-A 74)** – O.C. VII

35. **SAN-ANTONIO MET LE PAQUET** (1959)
Spécial-Police 194 – **(S-A 76)** – O.C. IX

36. **ENTRE LA VIE ET LA MORGUE** (1959)
Spécial-Police 201 – **(S-A 77)** – O.C. IX

37. **TOUT LE PLAISIR EST POUR MOI** (1959)
Spécial-Police 207 – **(S-A 9)** – O.C. XIII

38. **DU SIROP POUR LES GUÊPES** (1960)
Spécial-Police 216 – **(S-A 5)** – O.C. II

39. **DU BRUT POUR LES BRUTES** (1960)
Spécial-Police 225 – **(S-A 15)** – O.C. IX

40. **J'SUIS COMME ÇA** (1960)
Spécial-Police 233 – **(S-A 16)** – O.C. VI

41. **SAN-ANTONIO RENVOIE LA BALLE** (1960)
Spécial-Police 238 – **(S-A 78)** – O.C. VII

42. **BERCEUSE POUR BÉRURIER** (1960)
Spécial-Police 244 – **(S-A 80)** – O.C. IV

43. **NE MANGEZ PAS LA CONSIGNE** (1961)
Spécial-Police 250 – **(S-A 81)** – O.C. XI

44. **LA FIN DES HARICOTS** (1961)
Spécial-Police 259 – **(S-A 83)** – O.C. X

45. **Y A BON, SAN-ANTONIO** (1961)
Spécial-Police 265 – **(S-A 84)** – O.C. VIII

46. **DE « A » JUSQU'À « Z »** (1961)
Spécial-Police 273 – **(S-A 86)** – O.C. XII

47. **SAN-ANTONIO CHEZ LES MAC** (1961)
Spécial-Police 281 – **(S-A 18)** – O.C. VII

48. **FLEUR DE NAVE VINAIGRETTE** (1962)
Spécial-Police 293 – **(S-A 10)** – O.C. I

49. **MÉNAGE TES MÉNINGES** (1962)
Spécial-Police 305 – **(S-A 11)** – O.C. IX

50. **LE LOUP HABILLÉ EN GRAND-MÈRE** (1962)
Spécial-Police 317 – **(S-A 12)** – O.C. X

51. **SAN-ANTONIO CHEZ LES « GONES »** (1962)
Spécial-Police 321 – **(S-A 13)** – O.C. V

52. **SAN-ANTONIO POLKA** (1963)
Spécial-Police 333 – **(S-A 19)** – O.C. V

53. **EN PEIGNANT LA GIRAFE** (1963)
Spécial-Police 343 – **(S-A 14)** – O.C. II

54. **LE COUP DU PÈRE FRANÇOIS** (1963)
Spécial-Police 358 – **(S-A 21)** – O.C. XI

55. **LE GALA DES EMPLUMÉS** (1963)
Spécial-Police 385 – **(S-A 41)** – O.C. V

56. **VOTEZ BÉRURIER** (1964)
Spécial-Police 391 – **(S-A 22)** – O.C. I

57. **BÉRURIER AU SÉRAIL** (1964)
Spécial-Police 427 – **(S-A 87)** – O.C. III

58. **LA RATE AU COURT-BOUILLON** (1965)
Spécial-Police 443 – **(S-A 88)** – O.C. I

59. **VAS-Y BÉRU** (1965)
Spécial-Police 485 – **(S-A 23)** – O.C. VIII

60. **TANGO CHINETOQUE** (1966)
Spécial-Police 511 – **(S-A 24)** – O.C. VI

61. **SALUT, MON POPE !** (1966)
Spécial-Police 523 – **(S-A 25)** – O.C. X

62. **MANGE, ET TAIS-TOI !** (1966)
Spécial-Police 565 – **(S-A 27)** – O.C. XII

63. **FAUT ÊTRE LOGIQUE** (1967)
Spécial-Police 577 – **(S-A 28)** – O.C. X

64. **Y'A DE L'ACTION !** (1967)
Spécial-Police 589 – **(S-A 29)** – O.C. XIII

65. **BÉRU CONTRE SAN-ANTONIO** (1967)
Spécial-Police 613 – **(S-A 31)** – O.C. XII

66. **L'ARCHIPEL DES MALOTRUS** (1967)
Spécial-Police 631 – **(S-A 32)** – O.C. XI

67. **ZÉRO POUR LA QUESTION** (1968)
Spécial-Police 643 – **(S-A 34)** – O.C. XIII

68. **BRAVO, DOCTEUR BÉRU** (1968)
Spécial-Police 661 – **(S-A 35)** – O.C. XIV

69. **VIVA BERTAGA** (1968)
Spécial-Police 679 – **(S-A 37)** – O.C. XIV

70. **UN ÉLÉPHANT, ÇA TROMPE** (1968)
Spécial-Police 697 – **(S-A 38)** – O.C. XIV

71. **FAUT-IL VOUS L'ENVELOPPER ?** (1969)
Spécial-Police 709 – **(S-A 39)** – O.C. XIV

72. **EN AVANT LA MOUJIK** (1969)
Spécial-Police 766 – **(S-A 89)** – O.C. XIV

73. **MA LANGUE AU CHAH** (1970)
Spécial-Police 780 – **(S-A 90)** – O.C. XV

74. **ÇA MANGE PAS DE PAIN** (1970)
Spécial-Police 829 – **(S-A 92)** – O.C. XV

75. **N'EN JETEZ PLUS !** (1971)
Spécial-Police 864 – **(S-A 93)** – O.C. XV

76. **MOI, VOUS ME CONNAISSEZ ?** (1971)
Spécial-Police 893 – **(S-A 94)** – O.C. XV

77. **EMBALLAGE CADEAU** (1972)
Spécial-Police 936 – **(S-A 96)** – O.C. XVI

78. **APPELEZ-MOI CHÉRIE** (1972)
Spécial-Police 965 – **(S-A 97)** – O.C. XVI

79. **T'ES BEAU, TU SAIS !** (1972)
Spécial-Police 980 – **(S-A 99)** – O.C. XVI

80. **ÇA NE S'INVENTE PAS** (1973)
(S-A 1) – O.C. XVI

81. **J'AI ESSAYÉ, ON PEUT** (1973)
(S-A 6) – O.C. XVII

82. **UN OS DANS LA NOCE** (1974)
(S-A 17) – O.C. XVII

83. **LES PRÉDICTIONS DE NOSTRABÉRUS** (1874)
(S-A 20) – O.C. XVII

84. **METS TON DOIGT OÙ J'AI MON DOIGT** (1974)
(S-A 26) – O.C. XVII

85. **SI, SIGNORE** (1974)
(S-A 30) – O.C. XVIII

86. **MAMAN, LES PETITS BATEAUX** (1975)
(S-A 33) – O.C. XVIII

87. **LA VIE PRIVÉE DE WALTER KLOZETT** (1975)
(S-A 36) – O.C. XVIII

88. **DIS BONJOUR À LA DAME** (1975)
(S-A 42) – O.C. XVIII

89. **CERTAINES L'AIMENT CHAUVE** (1975)
(S-A 46) – O.C. XIX

90. **CONCERTO POUR PORTE-JARRETELLES** (1976)
(S-A 52) – O.C. XIX

91. **SUCETTE BOULEVARD** (1976)
(S-A 60) – O.C. XIX

92. **REMETS TON SLIP, GONDOLIER** (1977)
(S-A 64) – O.C. XIX

93. **CHÉRIE, PASSE-MOI TES MICROBES !** (1977)
(S-A 69) – O.C. XX

94. **UNE BANANE DANS L'OREILLE** (1977)
(S-A 75) – O.C. XX

95. **HUE, DADA !** (1977)
(S-A 79) – O.C. XX

96. **VOL AU-DESSUS D'UN LIT DE COCU** (1978)
(S-A 82) – O.C. XX

97. **SI MA TANTE EN AVAIT** (1978)
(S-A 85) – O.C. XXI

98. **FAIS-MOI DES CHOSES** (1978)
(S-A 91) – O.C. XXI

99. **VIENS AVEC TON CIERGE** (1978)
(S-A 95) – O.C. XXI

100. **MON CULTE SUR LA COMMODE** (1979)
(S-A 98) – O.C. XXI

101. **TIRE-M'EN DEUX, C'EST POUR OFFRIR** (1979)
(S-A 100) – O.C. XXII

102. **À PRENDRE OU À LÉCHER** (1980)
(S-A 101) – O.C. XXII

103. **BAISE-BALL À LA BAULE** (1980)
(S-A 102) – O.C. XXII

104. **MEURS PAS, ON A DU MONDE** (1980)
(S-A 103) – O.C. XXII

105. **TARTE À LA CRÈME STORY** (1980)
(S-A 104) – O.C. XXIII

106. **ON LIQUIDE ET ON S'EN VA** (1981)
(S-A 105) – O.C. XXIII

107. **CHAMPAGNE POUR TOUT LE MONDE !** (1981)
(S-A 106) – O.C. XXIII

→ À partir du 108e roman ci-dessous, la numérotation affichée auparavant sur les ouvrages de la collection *« San-Antonio »* correspond à l'ordre chronologique. Le numéro actuel et le précédent sont donc identiques. Mais, pour éviter toute équivoque, nous continuons tout de même à les mentionner l'un et l'autre jusqu'au bout.

108. **LA PUTE ENCHANTÉE** (1982)
(S-A 108) – O.C. XXIII

109. **BOUGE TON PIED QUE JE VOIE LA MER** (1982)
(S-A 109) – O.C. XXIV

110. **L'ANNÉE DE LA MOULE** (1982)
(S-A 110) – O.C. XXIV

111. **DU BOIS DONT ON FAIT LES PIPES** (1982)
(S-A 111) – O.C. XXIV

112. **VA DONC M'ATTENDRE CHEZ PLUMEAU** (1983)
(S-A 112) – O.C. XXV

113. **MORPION CIRCUS** (1983)
(S-A 113) – O.C. XXV

114. **REMOUILLE-MOI LA COMPRESSE** (1983)
(S-A 114) – O.C. XXV

115. **SI MAMAN ME VOYAIT !** (1983)
(S-A 115) – O.C. XXV

116. **DES GONZESSES COMME S'IL EN PLEUVAIT** (1984)
(S-A 116) – O.C. XXVI

117. **LES DEUX OREILLES ET LA QUEUE** (1984)
(S-A 117) – O.C. XXVI

118. **PLEINS FEUX SUR LE TUTU** (1984)
(S-A 118) – O.C. XXVI

119. **LAISSEZ POUSSER LES ASPERGES** (1984)
(S-A 119) – O.C. XXVI

120. **POISON D'AVRIL ou la vie sexuelle de Lili Pute** (1985)
(S-A 120) – O.C. XXVII

121. **BACCHANALE CHEZ LA MÈRE TATZI** (1985)
(S-A 121) – O.C. XXVII

122. **DÉGUSTEZ, GOURMANDES !** (1985)
(S-A 122) – O.C. XXVII

123. **PLEIN LES MOUSTACHES** (1985)
(S-A 123) – O.C. XXVII

124. APRÈS VOUS S'IL EN RESTE, MONSIEUR LE PRÉSIDENT (1986)
(S-A 124) – O.C. XXVIII

125. CHAUDS, LES LAPINS ! (1986)
(S-A 125) – O.C. XXVIII

126. ALICE AU PAYS DES MERGUEZ (1986)
(S-A 126) – O.C. XXVIII

127. FAIS PAS DANS LE PORNO... (1986)
(S-A 127) – O.C. XXVIII

128. LA FÊTE DES PAIRES (1986)
(S-A 128) – O.C. XXIX

129. LE CASSE DE L'ONCLE TOM (1987)
(S-A 129) – O.C. XXIX

130. BONS BAISERS OÙ TU SAIS (1987)
(S-A 130) – O.C. XXIX

131. LE TROUILLOMÈTRE À ZÉRO (1987)
(S-A 131) – O.C. XXIX

132. CIRCULEZ ! Y A RIEN À VOIR (1987)
(S-A 132)

133. GALANTINE DE VOLAILLE POUR DAMES FRIVOLES (1987)
(S-A 133)

134. LES MORUES SE DESSALENT (1988)
(S-A 134)

135. ÇA BAIGNE DANS LE BÉTON (1988)
(S-A 135)

136. BAISSE LA PRESSION, TU ME LES GONFLES ! (1988)
(S-A 136)

137. RENIFLE, C'EST DE LA VRAIE (1988)
(S-A 137)

138. **LE CRI DU MORPION** (1989)
(S-A 138)

139. **PAPA, ACHÈTE-MOI UNE PUTE** (1989)
(S-A 139)

140. **MA CAVALE AU CANADA** (1989)
(S-A 140)

141. **VALSEZ, POUFFIASSES** (1989)
(S-A 141)

142. **TARTE AUX POILS SUR COMMANDE** (1989)
(S-A 142)

143. **COCOTTES-MINUTE** (1990)
(S-A 143)

144. **PRINCESSE PATTE-EN-L'AIR** (1990)
(S-A 144)

145. **AU BAL DES ROMBIÈRES** (1990)
(S-A 145)

146. **BUFFALO BIDE** (1991)
(S-A 146)

147. **BOSPHORE ET FAIS RELUIRE** (1991)
(S-A 147)

148. **LES COCHONS SONT LÂCHÉS** (1991)
(S-A 148)

149. **LE HARENG PERD SES PLUMES** (1991)
(S-A 149)

150. **TÊTES ET SACS DE NŒUDS** (1991)
(S-A 150)

151. **LE SILENCE DES HOMARDS** (1992)
(S-A 151)

152. **Y EN AVAIT DANS LES PÂTES** (1992)
(S-A 152)

153. **AL CAPOTE** (1992)
(S-A 153)

154. **FAITES CHAUFFER LA COLLE** (1993)
(S-A 154)

155. **LA MATRONE DES SLEEPINGES** (1993)
(S-A 155)

156. **FOIRIDON À MORBAC CITY** (1993)
(S-A 156)

157. **ALLEZ DONC FAIRE ÇA PLUS LOIN** (1993)
(S-A 157)

158. **AUX FRAIS DE LA PRINCESSE** (1993)
(S-A 158)

159. **SAUCE TOMATE SUR CANAPÉ** (1994)
(S-A 159)

160. **MESDAMES VOUS AIMEZ « ÇA »** (1994)
(S-A 160)

161. **MAMAN, LA DAME FAIT RIEN QU'À ME FAIRE DES CHOSES** (1994)
(S-A 161)

162. **LES HUÎTRES ME FONT BÂILLER** (1995)
(S-A 162)

163. **TURLUTE GRATOS LES JOURS FÉRIÉS** (1995)
(S-A 163)

164. **LES EUNUQUES NE SONT JAMAIS CHAUVES** (1996)
(S-A 164)

165. **LE PÉTOMANE NE RÉPOND PLUS** (1995)
(S-A 165)

166. **T'ASSIEDS PAS SUR LE COMPTE-GOUTTES** (1996)
(S-A 166)

167. **DE L'ANTIGEL DANS LE CALBUTE** (1996)
(S-A 167)

168. **LA QUEUE EN TROMPETTE** (1997)
(S-A 168)

169. **GRIMPE-LA EN DANSEUSE** (1997)
(S-A 169)

170. **NE SOLDEZ PAS GRAND-MÈRE, ELLE BROSSE ENCORE** (1997)
(S-A 170)

171. **DU SABLE DANS LA VASELINE** (1998)
(S-A 171)

172. **CECI EST BIEN UNE PIPE** (1999)
(S-A 172)

173. **TREMPE TON PAIN DANS LA SOUPE** (1999)
(S-A 173)

174. **LÂCHE-LE, IL TIENDRA TOUT SEUL** (1999)
(S-A 174)
(ces deux derniers romans sont à lire à la suite car ils constituent une seule histoire répartie en deux tomes)

175. **CÉRÉALES KILLER** (2001) – parution posthume
(original non numéroté : v. ci-dessous)

B) Les Hors-Collection

Neuf romans, de format plus imposant que ceux de la « série », sont parus depuis 1964. Tous les originaux aux éditions FLEUVE NOIR, forts volumes cartonnés jusqu'en 1971, puis brochés. Ces ouvrages sont de véritables feux d'artifice allumés par la verve de leur auteur. L'humour atteint souvent ici son paroxysme. Bérurier y tient une place « énorme », au point d'en être parfois la vedette !

Remarque importante : outre ces neuf volumes, de nombreux autres « Hors-Collection » – originaux ou rééditions de *Frédéric Dard* – signés **San-Antonio** ont été publiés depuis 1979. Ces livres remarquables, souvent bouleversants *(Faut-il tuer les petits garçons qui ont les mains sur les hanches ?, La vieille qui marchait dans la mer, Le dragon de Cracovie...)* ne concernent pas notre policier de choc et de charme. Sont mentionnés dans les « Hors-Collection » ci-dessous uniquement les romans dans lesquels figure le *Commissaire San-Antonio !*

- **L'HISTOIRE DE FRANCE VUE PAR SAN-ANTONIO**, 1964 – réédité en 1997 sous le titre **HISTOIRE DE FRANCE**
- **LE STANDINGE SELON BÉRURIER**, 1965 – réédité en 1999 sous le titre **LE STANDINGE**
- **BÉRU ET CES DAMES**, 1967 – réédité en 2000
- **LES VACANCES DE BÉRURIER**, 1969 – réédité en 2001
- **BÉRU-BÉRU**, 1970 – réédité en 2002
- **LA SEXUALITÉ**, 1971
- **LES CON**, 1973
- **SI QUEUE-D'ÂNE M'ÉTAIT CONTÉ**, 1976 (aventure entièrement vécue et racontée par Bérurier) – réédité en 1998 sous le titre ***QUEUE D'ÂNE***
- **NAPOLÉON POMMIER**, 2000

→ Paru en 2001 dans un format « moyen » non numéroté, **CÉRÉALES KILLER** est bien le 175e roman de la série *San-Antonio.* Réédité en poche en 2003.

2. Guide thématique de la série « San-Antonio »

Les aventures de San-Antonio sont d'une telle richesse que toute tentative pour les classifier ne prêterait – au mieux – qu'à sourire si l'on devait s'en tenir là. Une mise en schéma d'une telle œuvre n'a d'intérêt que comme jalon, à dépasser d'urgence pour aller voir « sur place ». Comment rendre compte d'une explosion permanente ? Ce petit guide thématique n'est donc qu'une « approche », partielle, réductrice, observation d'une constellation par le tout petit bout de la lorgnette. San-Antonio, on ne peut le connaître qu'en le lisant, tout entier, en allant se regarder soi-même dans le miroir que nous tend cet auteur de génie, le cœur et les yeux grands ouverts.

Dans les 175 romans numérotés parus au Fleuve Noir, on peut dénombrer, en simplifiant à l'extrême, 10 types de récits différents. Bien entendu, les sujets annexes abondent ! C'est pourquoi seul a été relevé ce qu'on peut estimer comme le thème « principal » de chaque livre.

Le procédé vaut ce qu'il vaut, n'oublions pas que « simplifier c'est fausser ». Mais il permet – en gros, en très gros ! – de savoir de quoi parlent les *San-Antonio,* sur le plan « polar ». J'insiste : gardons à l'esprit que là n'est pas le plus important. *Le plus important, c'est ce qui se passe entre le lecteur et l'auteur, et qu'on ne pourra jamais classer dans telle ou telle catégorie.*

Avertissement

Comme il serait beaucoup trop long de reprendre tous les titres, seuls leurs *numéros* sont indiqués sous chaque rubrique. ATTENTION : ce sont les numéros de la collection « *San-Antonio* » référencée **S-A** dans la bibliographie ! En effet, les ouvrages de cette collection sont et seront encore disponibles pendant longtemps.

Néanmoins, ces numéros sont chaque fois rangés dans l'ordre chronologique des parutions, du plus ancien roman au plus récent.

A. Aventures de Guerre, ou faisant suite à la Guerre.

Pendant le conflit 39-45, San-Antonio est l'as des *Services Secrets*. Résistance, sabotages, chasse aux espions avec actions d'éclat. On plonge ici dans la « guerre secrète ».

→ S-A **107** (reprise du tout premier roman de 1949) • S-A **43** • S-A **44** • S-A **47**

Dans les années d'après-guerre, le commissaire poursuit un temps son activité au parfum de contre-espionnage (espions à identifier, anciens collabos, règlements de comptes, criminels de guerre, trésors de guerre). Ce thème connaît certains prolongements, bien des années plus tard.

→ S-A **45** • S-A **50** • S-A **63** • S-A **68** • S-A **78**

B. Lutte acharnée contre anciens (ou néo-)nazis

La Guerre n'est plus du tout le « motif » de ces aventures, même si l'enquête oppose en général San-

Antonio à d'anciens nazis, avec un fréquent *mystère à élucider.* C'est pourquoi il était plus clair d'ouvrir une nouvelle rubrique. Les ennemis ont changé d'identité et refont surface, animés de noires intentions ; à moins qu'il s'agisse de néo-nazis, tout aussi malfaisants.

→ S-A **54** • S-A **58** • S-A **59** • S-A **38** • S-A **92** • S-A **93** • S-A **42** • S-A **123** • S-A **151**

C. San-Antonio opposé à de dangereux trafiquants

Le plus souvent en mission à l'étranger, San-Antonio risque sa vie pour venir à bout d'individus ou réseaux qui s'enrichissent dans le trafic de la drogue, des armes, des diamants… Les aventures démarrent pour une autre raison puis le trafic est découvert et San-Antonio se lance dans la bagarre.

→ S-A **3** • S-A **65** • S-A **67** • S-A **18** • S-A **14** • S-A **110** • S-A **159**

D. San-Antonio contre Sociétés Secrètes : un homme traqué !

De puissantes organisations ne reculent devant rien pour conquérir pouvoir et richesse : *Mafia* (affrontée par ailleurs de manière « secondaire ») ou *sociétés secrètes* asiatiques. Elles feront de notre héros un homme traqué, seul contre tous. Il ne s'en sortira qu'en déployant des trésors d'ingéniosité et de courage.

→ S-A **51** • S-A **138** • S-A **144** • S-A **160** • S-A **170** • S-A **171** • S-A **172** • S-A **173**

Certains réseaux internationaux visent moins le profit que le chaos universel. San-Antonio doit alors défier lors d'aventures échevelées des groupes *terroristes* qui cherchent à dominer le monde. Frissons garantis !

→ S-A **34** • S-A **85** • S-A **103** • S-A **108**

E. Aventures *personnelles* : épreuves physiques et morales

Meurtri dans sa chair et ses sentiments, San-Antonio doit *s'arracher à des pièges mortels.* Sa « personne » – sa famille, ses amis – est ici directement visée par des individus pervers et obstinés. Jeté aux enfers, il remonte la pente et nous partageons ses tourments. C'est sans doute la raison pour laquelle plusieurs de ces romans prennent rang de *chefs-d'œuvre.* Bien souvent, le lecteur en sort laminé par les émotions éprouvées, ayant tout vécu de l'intérieur !

→ S-A **61** • S-A **70** • S-A **86** • S-A **27** • S-A **97** • S-A **36** • S-A **111** • S-A **122** • S-A **131** • S-A **132** • S-A **139** • S-A **140** • S-A **174** • **175**

F. À la poursuite de voleurs ou de meurtriers

Pour autant, on peut rarement parler de polars « classiques ». Ce sont clairement des *enquêtes,* mais à la manière (forte) de San-Antonio !

• Enquêtes « centrées » sur le vol ou l'escroquerie

Les meurtres n'y manquent pas, mais l'affaire tourne toujours autour d'un vol (parfois chantage, ou fausse monnaie...). Peu à peu, l'étau se resserre autour des malfaiteurs, que San-Antonio, aux méthodes « risquées », finit par ramener dans ses filets grâce à son cerveau, ses poings et ses adjoints.

→ S-A **2** • S-A **62** • S-A **73** • S-A **80** • S-A **10** • S-A **25** • S-A **90** • S-A **113** • S-A **149**

• **Enquêtes « centrées » sur le meurtre**

À l'inverse, ces aventures ont le meurtre pour fil conducteur. San-Antonio doit démêler l'écheveau et mettre la main sur le coupable, en échappant bien des fois à la mort. Vol et chantage sont encore d'actualité, mais au second plan.

→ S-A **55** • S-A **8** • S-A **76** • S-A **9** • S-A **5** • S-A **81** • S-A **83** • S-A **84** • S-A **41** • S-A **22** • S-A **23** • S-A **28** • S-A **35** • S-A **94** • S-A **17** • S-A **26** • S-A **60** • S-A **100** • S-A **116** • S-A **127** • S-A **128** • S-A **129** • S-A **133** • S-A **135** • S-A **137** • S-A **143** • S-A **145** • S-A **152** • S-A **161** • S-A **163**

• (Variante) **Vols ou meurtres *dans le cadre d'une même famille***

→ S-A **4** • S-A **7** • S-A **74** • S-A **46** • S-A **91** • S-A **114** • S-A **141** • S-A **148** • S-A **154** • S-A **165**

G. Affaires d'enlèvements

Double but à cette *poursuite impitoyable* : retrouver les ravisseurs et préserver les victimes !

→ S-A **56** (porté à l'écran sous le titre *Sale temps pour les mouches*) • S-A **16** • S-A **13** • S-A **19** • S-A **39** • S-A **52** • S-A **118** • S-A **125** • S-A **126** • S-A **136** • S-A **158**

H. Attentats ou complots contre hauts personnages

Chaque récit tourne autour d'un attentat – visant souvent la sécurité d'un état – que San-Antonio doit à tout prix empêcher, à moins qu'il n'ait pour mission de… l'organiser au service de la France !

→ • S-A **48** • S-A **77** • S-A **11** • S-A **21** • S-A **88** • S-A **96** • S-A **33** • S-A **95** • S-A **98** • S-A **102** • S-A **106** • S-A **109** • S-A **120** • S-A **124** • S-A **130**

I. Une aiguille dans une botte de foin !

À partir d'indices minuscules, San-Antonio doit *mettre la main sur un individu, une invention, un document* d'un intérêt capital. Chien de chasse infatigable, héroïque, il ira parfois au bout du monde pour dénicher sa proie.

→ S-A **49** • S-A **53** • S-A **57** • S-A **66** • S-A **71** • S-A **72** • S-A **40** • S-A **15** • S-A **12** • S-A **87** • S-A **24** • S-A **29** • S-A **31** • S-A **37** • S-A **89** • S-A **20** • S-A **30** • S-A **69** • S-A **75** • S-A **79** • S-A **82** • S-A **101** • S-A **104** • S-A **105** • S-A **112** • S-A **115** • S-A **117** • S-A **119** • S-A **121** • S-A **134** • S-A **142** • S-A **146** • S-A **147** • S-A **150** • S-A **153** • S-A **156** • S-A **157** • S-A **164** • S-A **166** • S-A **167**

J. Aventures aux thèmes entremêlés

Quelques récits n'ont pris place – en priorité du moins – dans aucune des rubriques précédentes. Pour ceux-là, le choix aurait été artificiel car aucun des motifs ne se détache du lot : ils s'ajoutent ou s'insèrent l'un dans l'autre. La caractéristique est donc ici *l'accumulation des thèmes.*

→ S-A **32** • S-A **99** • S-A **1** • S-A **6** • S-A **64** • S-A **155** • S-A **162** • S-A **168** • S-A **169**

SANS OUBLIER...

Voilà donc répartis en thèmes simplistes *tous* les ouvrages de la série. Mais les préférences de chacun sont multiples. Plus d'un lecteur choisira de s'embarquer dans un « San-Antonio » pour des raisons fort éloignées de la thématique du polar. Encore heureux ! On dépassera alors le point de vue du spécialiste, pour ranger de nombreux titres sous des bannières différentes. Avec un regard de plus en plus coloré par l'affection.

Note

Contrairement à ce qui précède, certains numéros vont apparaître ici à plusieurs reprises. C'est normal : on peut tout à la fois éclater de rire, pleurer, s'émerveiller, frissonner, s'émouvoir... dans un même *San-Antonio !*

- ***Incursions soudaines dans le fantastique***

Au cours de certaines affaires, on bascule tout à coup dans une ambiance mystérieuse, avec irruption du « fantastique ». San-Antonio se heurte à des faits *étranges :* sorcellerie, paranormal, envoûtement…

→ S-A **28** • S-A **20** • S-A **129** • S-A **135** • S-A **139** • S-A **140** • S-A **152** • S-A **172** • S-A **174**

- ***Inventions redoutables et matériaux extraordinaires***

Dans plusieurs romans, le recours à un attirail futuriste entraîne une irruption soudaine de la *science-fiction.* Il arrive même qu'il serve de motif au récit. Voici un échantillon de ces découvertes fabuleuses pour lesquelles on s'entretue :

Objectif fractal (un grain de beauté photographié par satellite !), réduction d'un homme à 25 cm, armée tenue en réserve par cryogénisation, échangeur de personnalité, modificateur de climats, neutraliseur de volonté, lunettes de télépathie, forteresse scientifique édifiée sous la Méditerranée, fragment d'une météorite transformant la matière en glace, appareil à ôter la mémoire, microprocesseur réactivant des cerveaux morts, et j'en passe… !

→ S-A **57** • S-A **12** • S-A **41** • S-A **23** • S-A **34** • S-A **35** • S-A **37** • S-A **89** • S-A **17** • S-A **20** • S-A **30** • S-A **64** • S-A **69** • S-A **75** • S-A **105** • S-A **123** • S-A **129** • S-A **146**

- ***Savants fous et terrifiantes expériences humaines***

→ S-A **30** • S-A **52** • S-A **116** • S-A **127** • S-A **163**

• ***Romans « charnière »***

Sont ainsi désignés les romans où apparaît pour la première fois un nouveau personnage, qui prend définitivement place aux côtés de San-Antonio.

S-A **43** : Félicie (sa mère), *en 1950.*
S-A **45** : Le Vieux (Achille), *en 1952.*
S-A **49** : Bérurier, *en 1953.*
S-A **53** : Pinaud, *en 1954.*
S-A **66** : Berthe (première apparition physique), *en 1957.*
S-A **37** : Marie-Marie, *en 1968.*
S-A **94** : Toinet (ou Antoine, le fils adoptif de San-Antonio), *en 1971.*
S-A **128** : Jérémie Blanc, *en 1986.*
S-A **168** : Salami, en *1997.*
S-A **173** : Antoinette (fille de San-Antonio et Marie-Marie), en *1999.*

Mathias, le technicien rouquin, est apparu peu à peu, sous d'autres noms.

• ***Bérurier et Pinaud superstars !***

Le Gros, l'Inénarrable, Béru ! est sans conteste le plus brillant « second » du commissaire San-Antonio. Présent dans la majorité des romans, il y déploie souvent une activité débordante. Sans se hisser au même niveau, le doux et subtil Pinaud tient aussi une place de choix…

· *participation* importante *de Bérurier*

→ S-A **18** • S-A **10** • S-A **11** • S-A **14** • S-A **22** • S-A **88** • S-A **23** • S-A **24** • S-A **27** • S-A **28** • S-A **32** • S-A **34** • S-A **37** • S-A **89** • S-A **90** • S-A **93** • S-A

97 • S-A **1** • S-A **20** • S-A **30** • S-A **33** • S-A **46** • S-A **52** • S-A **75** • S-A **101** • S-A **104** • S-A **109** • S-A **116** • S-A **126** • S-A **145** • S-A **163** • S-A **166**

N'oublions pas les « Hors-Collection », avec notamment *Queue d'âne* où Bérurier est seul présent de bout en bout !

· *participation* importante *de Bérurier* et *Pinaud* → S-A **12** • S-A **87** • S-A **25** • S-A **35** • S-A **96** • S-A **105** • S-A **111** • S-A **148** (fait exceptionnel : San-Antonio ne figure pas dans ce roman !) • S-A **156**

• ***Marie-Marie, de l'enfant espiègle à la femme mûre***

Dès son apparition, Marie-Marie a conquis les lecteurs. La fillette malicieuse, la « Musaraigne » éblouissante de *Viva Bertaga* qui devient femme au fil des romans est intervenue dans plusieurs aventures de San-Antonio.

· *Fillette espiègle et débrouillarde :*
→ S-A **37** • S-A **38** • S-A **39** • S-A **92** • S-A **99**

· *Adolescente indépendante et pleine de charme :*
→ S-A **60** • S-A **69** • S-A **85**

· *Belle jeune femme, intelligente et profonde :*
Il ne s'agit parfois que d'apparitions intermittentes.
→ S-A **103** • S-A **111** • S-A **119** • S-A **120** • S-A **131** (où Marie-Marie devient veuve !) • S-A **139** • S-A **140** • S-A **152**

· *Femme mûre, mère d'Antoinette (fille de San-Antonio) :*
→ S-A **173** • S-A **174** • **175**

• ***Le rire***

Passé la première trentaine de romans (et encore !), le *rire* a sa place dans toutes les aventures de San-Antonio, si l'humour, lui, est *partout,* y compris au cœur de la colère, de l'amour et de la dérision. Mais plusieurs aventures atteignent au délire et nous transportent vraiment d'hilarité par endroits. Dans cette catégorie décapante, on conseillera vivement :

→ S-A **10** • S-A **14** • S-A **87** • S-A **88** • S-A **23** • S-A **25** • S-A **2** • S-A **35**

Y ajouter, là encore, tous les « Hors-Collection ». Qui n'a pas lu *Le Standinge, Béru-Béru* ou *Les vacances de Bérurier* n'a pas encore exploité son capital rire. Des romans souverains contre la morosité, qui devraient être remboursés par la Sécurité Sociale !

• ***Grandes épopées planétaires***

San-Antonio – le plus souvent accompagné de Bérurier – nous entraîne aux quatre coins de la planète dans des aventures épiques et « colossales ». Humour, périls mortels, action, rebondissements.

→ S-A **10** • S-A **87** • S-A **88** • S-A **24** • S-A **37** • S-A **89**

• ***Les « inoubliables »***

Je rangerais sous ce titre quelques romans-choc (dont certains ont déjà été cités plusieurs fois, notamment dans les épopées ci-dessus). On tient là des *chefs-d'œuvre,* où l'émotion du lecteur est à son comble. Bien sûr, c'est subjectif, mais quel autre critère adopter pour ce qui relève du coup de cœur ? Lisez-les : vous serez vite convaincus !

→ S-A **61** • S-A **70** • S-A **83** • S-A **10** • S-A **87** • S-A **88** • S-A **24** • S-A **25** • S-A **37** • S-A **111** • S-A **132** • S-A **140**

POUR FINIR...

Il ne me reste plus qu'à souhaiter à tous ceux qui découvrent les aventures de San-Antonio (comme je les envie !) des voyages colorés, passionnants, émouvants, trépidants, surprenants, pathétiques, burlesques, magiques, étranges, inattendus ; des séjours enfiévrés ; des rencontres mémorables ; des confidences où l'intime se mêle à l'épopée.

Quant aux autres, ils savent déjà tout ça, n'est-ce pas ?

Ce qui ne les empêche pas de revisiter à tout instant la série *San-Antonio,* monument de la littérature d'évasion, pour toujours inscrit à notre patrimoine.

Raymond Milési

Correspondance entre l'ancienne numérotation de la collection « San-Antonio » et la nouvelle numérotation chronologique *portée sur chaque roman réimprimé à partir de 2003.*

S-A	→	chrono
S-A 1	→	*80*
S-A 2	→	*9*
S-A 3	→	*10*
S-A 4	→	*11*
S-A 5	→	*38*
S-A 6	→	*81*
S-A 7	→	*31*
S-A 8	→	*32*
S-A 9	→	*37*
S-A 10	→	*48*
S-A 11	→	*49*
S-A 12	→	*50*
S-A 13	→	*51*
S-A 14	→	*53*
S-A 15	→	*39*
S-A 16	→	*40*
S-A 17	→	*82*
S-A 18	→	*47*
S-A 19	→	*52*
S-A 20	→	*83*
S-A 21	→	*54*
S-A 22	→	*56*
S-A 23	→	*59*
S-A 24	→	*60*
S-A 25	→	*61*
S-A 26	→	*84*
S-A 27	→	*62*
S-A 28	→	*63*
S-A 29	→	*64*
S-A 30	→	*85*
S-A 31	→	*65*
S-A 32	→	*66*
S-A 33	→	*86*
S-A 34	→	*67*
S-A 35	→	*68*
S-A 36	→	*87*
S-A 37	→	*69*
S-A 38	→	*70*
S-A 39	→	*71*
S-A 40	→	*30*
S-A 41	→	*55*
S-A 42	→	*88*
S-A 43	→	*2*
S-A 44	→	*3*
S-A 45	→	*4*
S-A 46	→	*89*
S-A 47	→	*5*
S-A 48	→	*6*
S-A 49	→	*7*
S-A 50	→	*8*
S-A 51	→	*12*
S-A 52	→	*90*
S-A 53	→	*13*
S-A 54	→	*14*
S-A 55	→	*15*
S-A 56	→	*16*

S-A 57 → ***17***
S-A 58 → ***18***
S-A 59 → ***19***
S-A 60 → ***91***
S-A 61 → ***20***
S-A 62 → ***21***
S-A 63 → ***22***
S-A 64 → ***92***
S-A 65 → ***23***
S-A 66 → ***24***
S-A 67 → ***25***
S-A 68 → ***26***
S-A 69 → ***93***
S-A 70 → ***27***
S-A 71 → ***28***
S-A 72 → ***29***
S-A 73 → ***33***
S-A 74 → ***34***
S-A 75 → ***94***
S-A 76 → ***35***
S-A 77 → ***36***
S-A 78 → ***41***
S-A 79 → ***95***
S-A 80 → ***42***
S-A 81 → ***43***
S-A 82 → ***96***
S-A 83 → ***44***
S-A 84 → ***45***
S-A 85 → ***97***
S-A 86 → ***46***
S-A 87 → ***57***
S-A 88 → ***58***
S-A 89 → ***72***
S-A 90 → ***73***
S-A 91 → ***98***
S-A 92 → ***74***
S-A 93 → ***75***
S-A 94 → ***76***
S-A 95 → ***99***
S-A 96 → ***77***
S-A 97 → ***78***
S-A 98 → ***100***
S-A 99 → ***79***
S-A 100 → ***101***
S-A 101 → ***102***
S-A 102 → ***103***
S-A 103 → ***104***
S-A 104 → ***105***
S-A 105 → ***106***
S-A 106 → ***107***
S-A 107 → ***1***

À partir du n° **108**, les numéros de la collection « **S-A** » coïncident exactement avec les numéros ***chronologiques***.

R. Milési

- Néologismes
(mornesse, je repte, suce-pince)
- Noms fantaisistes de lieux/personnages
Lô Lin Pia,
- Objets techniques aux noms fantaisistes
cactus picotus graduceus
- interpellation aux lecteurs
- blagues, jeux de mots
- énumération
- métafiction
↳ on est ds un roman d'espionnage
c'est sinon je vais y aller

⇒ Bris dans la continuité du récit
↳ au contraire de la para
qui s'évertue à ne pas
briser l'illusion référentielle

Achevé d'imprimer sur les presses de

BUSSIÈRE

GROUPE CPI

à Saint-Amand-Montrond (Cher)
en février 2003

FLEUVE NOIR
12, avenue d'Italie
75627 Paris Cedex 13
Tél. : 01-44-16-05-00

— N° d'imp. : 30890. —
Dépôt légal : mars 2003.

Imprimé en France